Von der Autorin sind bei Knaur folgende Bücher erschienen:
Wozu Männer? Liebeserklärung an eine überflüssige Spezies
Don't worry, be fifty – der Ratgeber. Genießen Sie neue Freiheiten
und gönnen Sie sich nur das Beste

Über die Autorin:
Margit Schönberger ist Journalistin und Autorin mehrerer erfolg-
reicher Bücher (u. a. *Wozu Männer?*, *Wir sind rund, na und?* und
Mein Chef ist ein Arschloch, Ihrer auch?). Sie war lange Zeit Leiterin
der Presse- und Öffentlichkeitsarbeit einer großen Verlagsgruppe.
Mit über fünfzig machte sie sich mit einer eigenen Literaturagentur
selbstständig: ein höchst erfolgreiches Unternehmen, wie sich he-
rausstellen sollte. Margit Schönberger ist verheiratet und lebt in
München.

Margit Schönberger

Don't worry, be fifty

Plötzlich bist du 50 –
und die Welt ist voller Möglichkeiten

KNAUR TASCHENBUCH VERLAG

Vollständige Taschenbuchausgabe März 2008
Knaur Taschenbuch.
Ein Unternehmen der Droemerschen Verlagsanstalt
Th. Knaur Nachf. GmbH & Co. KG, München.
Copyright © 2006 by Droemer Verlag.
Ein Unternehmen der Droemerschen Verlagsanstalt
Th. Knaur Nachf. GmbH & Co. KG, München.
Alle Rechte vorbehalten. Das Werk darf – auch teilweise –
nur mit Genehmigung des Verlags wiedergegeben werden.
S. 252 f.: »Die Ahnung« von Frederica Garcia Lorca, aus: *Gedichte*,
übersetzt von Enrique Beck © Heinrich-Enrique-Beck-Stiftung,
Rheinsprung 1, CH-4001 Basel
Redaktion: Brigitta Neumeister-Taroni, Zürich
Umschlaggestaltung: ZERO Werbeagentur, München
Umschlagabbildung: Christin Ogger
Satz: Adobe InDesign im Verlag
Druck und Bindung: GGP Media GmbH, Pößneck
Printed in Germany
ISBN 978-3-426-77983-5

5 4 3 2 1

Inhalt

Wann beginnt das Leben?
Eine Diskussion zwischen Experten

Der katholische Pfarrer:
»Sobald der männliche Samen
auf die weibliche Eizelle trifft.«

Der evangelische Pastor:
»Sobald der Embryo außerhalb des Mutterleibes
überlebensfähig ist.«

Der jüdische Rabbi:
»Sobald die Kinder aus dem Haus sind.«

Vorwort

Auf meiner Gästetoilette ist ein höchst aufschlussreicher Teil meines Seelenlebens einzusehen. Von oben bis unten. Weibliche Gäste kommen regelmäßig strahlend, manchmal auch höchst erstaunt, aber jedenfalls immer sehr gesprächsfreudig von diesem Örtchen zurück.

»Die Grünen find ich ja Klasse! Den Farbton hab ich noch nie gesehen!« (Ach ja, eine schöne Erinnerung. Premiere an dem Herbstabend, als wir die Buchtaufe von Maximilian Schells erstem Roman gefeiert haben. Aber viel zu hoch!)

»Entschuldige bitte vielmals, aber die Grauen mit dem Metall, die musste ich einfach probieren. Die sehen ja scharf aus!« (Wurden eingeweiht, als der Konzern ein repräsentatives historisches Gebäude im Zentrum Berlins der Öffentlichkeit vorstellte. Viel beachtet, aber viel zu schmal. Trug sie in den Händen ins Hotel zurück.)

»Die Braunen mit dem Kork, einfach umwerfend. Genau nach solchen hab ich immer gesucht!« (In Venedig gefunden. Erster Einsatz bei dem berüchtigten gesetzten Essen auf der Messe, wo ich 25 Zusagen und einen liebevoll ausgetüftelten Sitzplan hatte, aber 32 Gäste kamen. Mein absolutes Meisterstück in Improvisation.)

Aber, und diese Frage kommt immer und unweigerlich: »Warum trägst du die denn nie? Die meisten dieser Prachtexemplare hab ich noch nie an dir gesehen!«

Die Rede ist – unschwer zu erraten – von meinem Schuhschrank im Gästeklo. Dessen Begutachtung für Frauen, die sonst gerade nichts Wesentlicheres zu tun haben, klar unterhaltsamer ist als das durchschnittliche Fernsehprogramm. Und ich muss zugeben, dass selbst ich mir manchmal, wenn ich so gemütlich da sitze – quasi nebenbei –, den einen oder anderen hochhackigen Kandidaten greife und hineinschlüpfe. Einfach um die Wirkung bei ausgestrecktem Bein wohlgefällig zu betrachten. Gegen meine Beine ist nämlich – wie man sie auch dreht und wendet – nichts zu sagen.

Wie dem auch sei – eines ganz bestimmten Tages fiel mir eine Veränderung auf. Ich konnte die Objekte dieses eitlen Spielchens nicht mehr aus der bequemen, sitzenden Haltung heraus erreichen. All diese hohen Hacken, deren Wirkung am Bein natürlich sehr viel effektvoller ist als die von Ballerinas, waren irgendwie und unversehens in die oberen Regale gewandert. In Griffhöhe befanden sich ausschließlich flache Flitzer à la »Lola rennt«. Eben die, die ich ständig benutzte, weil sie bequem, schnell, unkompliziert sind. Cola light in Schuhform sozusagen. Auch ganz schön und wohlbedacht ausgewählt, aber die meisten eben doch ohne den so besonderen erotischen Charme der manchmal Schmerzreichen im Obergeschoss.

Solche eben, mit denen man auch mal schnell ungeschminkt losläuft.

Die Erkenntnis traf mich wie ein Blitz: Ich war im Land
der flachen Schuhe gelandet. Sanft hineingeglitten, ohne
es zu merken oder gar überlegt zu haben. An diesem Tag
wusste ich, dass ich älter geworden war. Und auf ganz
natürliche Weise, von innen heraus und instinktgelenkt –
ein wenig weiser also. Diese erstaunliche Sache musste
näher untersucht werden. Das Ergebnis halten Sie in
Händen.

Die barfüßige Gräfin

Haben Sie auch noch das berühmte Foto von Marilyn Monroe auf dem Lüftungsgitter vor Augen? Das weiße, schulterfreie Kleid, die Hände auf den Oberschenkeln, um zu verhindern, dass der weite Glockenrock (ich glaube, er war sogar plissiert?) durch den von unten kommenden Luftzug nicht vollends über ihrem Kopf zusammenschlägt? Sie stand mit hochhackigen Pumps auf diesem Gitter – und das muss ziemlich anstrengend gewesen sein, so auf den Fußballen zu balancieren. Kenner wissen, der größte Feind aller Bleistiftabsätze sind sämtliche Arten von Gittern und Rillen vor Hauseingängen und beispielsweise auf Rolltreppen. Die ständige Angst, darin stecken zu bleiben, ist mir auch heute – wo ich doch längst ins Land der flachen Schuhe abgewandert bin – noch immer wohlvertraut. Ganze Bataillone von Schustern haben nichts anderes getan, als hochgeschobenes Absatzleder wieder glatt zu ziehen und zu verkleben und abgerissene Absatzenden wieder aufzusetzen. Aber auch Straßenbahnschienen, Kopfstein- und Würfelpflaster, Kieswege mit weichem Untergrund, Bootsstegplanken und Holzböden in Festzelten sind der pure Horror für High-Heel-Trägerinnen. Mein letztes unvergessliches Erlebnis mit einem solchen Absatz hatte ich in Wien: an einem Tag im August. Das Thermometer stand schon am Vormittag auf über dreißig Grad, und der Asphalt der Gehwege schwitzte verdächtig und tendierte in Richtung Verflüssigung. Jede(r) hinterließ – je nach Gewicht – Spuren.

Mein Mann und ich waren unterwegs zum Kunsthistorischen Museum. Wir freuten uns auf die lange nicht mehr betrachteten Bilder und auch auf die zu erwartende, marmorne Kühle im alten, dicken Gemäuer. Beim raschen Überqueren der Ringstraße (nicht vorschriftsmäßig, nämlich nicht auf einem Zebrastreifen, ich muss es zugeben), versank ich, eine herankommende Straßenbahn im Blickfeld, mit dem Absatz meines linken Schuhs urplötzlich in einem teerigen Sumpfloch, das sich unter der Asphaltoberfläche offenbar in der Hitze gebildet hatte. Mein Vorwärtsdrang wurde hart gebremst und riss mir den Fuß mit Schwung aus dem Schuh. Angesichts der nahenden Straßenbahn hastete ich mit einem bloßen Fuß weiter und ließ den stecken gebliebenen Hochhackigen zurück.

Als ich wieder freie Sicht auf den Ort des Missgeschicks hatte – der Straßenbahnfahrer grinste beim Vorbeifahren und grüßte mit einem Extraklingeln zu uns herüber –, sah ich meine abhanden gekommene Fußbedeckung da stecken, unschuldig weiß und in Gefahr, vom nächsten Autopulk endgültig in den Teer gedrückt zu werden. Er wurde dann schließlich doch noch gerettet, aber die Teerflecken waren aus dem Veloursleder nie mehr herauszukriegen. Wieder etwas gelernt – auch dieses Abenteuer wäre mit den Flachen nicht passiert.

Angeblich geht man barfuß durch die Hölle. Manchmal aber auch mit Schuhen. Menschen, die beruflich mit

Büchern zu tun haben, vorwiegend weibliche Menschen, genauer gesagt junge weibliche Menschen, erleben das mindestens einmal jährlich, und zwar im Oktober. Bevor sie zu Tausenden Richtung Frankfurt am Main aufbrechen, führt sie ihr Weg noch einmal in ein oder sogar mehrere Schuhgeschäfte. Dort werden die schicksten Modelle erworben, die der Laden zu bieten hat. Bevorzugt Paare, auf deren Absätzen man förmlich zu schweben scheint. Messen haben das einfach so an sich. Egal ob es nun die Buchmesse in Frankfurt ist, wie in meinem Fall, oder die irgendeiner anderen Branche, egal ob in München, Berlin, Köln, Wien, Zürich oder sonstwo auf der Welt. Alle messeerprobten Frauen haben schon ähnliche Erfahrungen gemacht.

Das Spiel war auch für mich viele Jahre lang das gleiche: Wenige Tage vor der Abreise fiel mir ein, was ich für die Messetage in Frankfurt noch dringend bräuchte. Ein neues kleines Schwarzes, Hosenanzüge, ein Seidenkaftan? Oder doch lieber zwei? Oder doch besser nur ein, zwei neue Oberteile, die man mit schon Vorhandenem kombinieren kann?

Jacken, Pullover … nein, eindeutig zu warm in den Messehallen mit all ihren Lampen und Scheinwerfern, die die Temperatur im Lauf des Tages gnadenlos ansteigen lassen. Vielleicht Blusen? Hosen? Röcke? All das wurde relativ schnell und kurz entschlossen besorgt. Ungeschriebenes Gesetz war lediglich: Nur nicht zweimal mit demselben Kleidungsstück in Frankfurt gesehen werden. Denn Logik in Sachen Outfit ist im Vormessewahn außer

Kraft gesetzt. Heute, ein paar Jährchen nüchterner, ist mir klar, dass kein Mensch sich merkt, welche Klamotten eine Gesprächspartnerin im Vorjahr getragen hat. Ich weiß das längst, habe es wahrscheinlich auch mit Mitte dreißig schon gewusst, die Erkenntnis aber trotzdem ignoriert. (Vielleicht weil man eine bessere Ausrede für einen exzessiven Einkaufsrausch doch gar nicht kriegen kann.) Und ich gehe auf der Basis gesicherter Erkenntnis davon aus, dass viele meiner Berufskolleginnen das auch so halten.

Aber der Kleiderkauf auf den letzten Drücker ist ja auch schon deshalb kein ernsthaftes Problem, weil man Klamotten schließlich nicht »einwohnen« muss. Man zieht sie an und startet in den Tag. Man sollte lediglich darauf achten, dass sie nicht schon in den ersten Stunden mit Kaffee, Sekt oder gar Rotwein reinigungsreif bekleckert werden, weil sonst die sorgfältig Tag für Tag geplante Kleiderordnung durcheinander kommt. (Ich bin Spezialistin darin und Lieblingskundin meiner chemischen Reinigung. Wenn ich mit meinem Jahressonderposten schminkeverzierter Krägen und den anderen Zeichen meines befleckten Frankfurter Wohllebens auf den Armen bei ihnen auftauche, empfangen sie mich jedes Mal mit der freundlich-scheinheiligen Frage: »Und wie war es auf der Buchmesse?« – »Toll, wie immer«, ist meine regelmäßige Antwort. Seit ein paar Jahren erlaube ich mir den Zusatz »… und anstrengend!«. (Irgendwie scheint mir das die zu säubernden Kleidermengen besser zu rechtfertigen.)

Aber wirklich prickelnd an diesem lustvollen Einkaufs-stress der letzten Vormessetage ist immer wieder der Schuhkauf gewesen. Nachdem ich die zu den Klamotten passenden Farben im Kopf rekapituliert hatte, gab ich der Verkäuferin klare Anweisungen: »… und bequem sollten sie sein. Ich muss auch mal eine Weile darin stehen kön-nen.«

Psychologisch unerfahrenes Personal brachte dann re-gelmäßig genau das: bequeme Schuhe. Zwar in den rich-tigen Farben, aber schon auf den ersten Blick zu sehen – bequem. Sehr bequem. Niedriger Absatz oder fast flache Keilsohlen. Breit geschnitten und daher eher unelegant. Auf jeden Fall war beim ersten Anlauf meistens nichts dabei, was vor meinen Augen auch nur die geringste Gnade gefunden hätte. Also alles zurück mit der neuen Instruktion: »So bequem nun auch wieder nicht!«

Jede messeerfahrene Frau weiß spätestens jetzt ziem-lich genau, mit welcher Ausbeute ich die Läden Jahr für Jahr verlassen habe: bildschön, schmal, eng und viel zu hoch. Aber die Neuerworbenen hatten Klasse, Rasse – und schon am Abend, wenn ich sie zu Hause vorführte, kam ich in den linken kaum mehr rein und der rechte erinnerte mich bruchteilsekundenlang an das Taubenlied aus Aschenbrödel: »Rucke di guck, rucke di guck, Blut ist im Schuck!«

Immerhin weiß ich heute – der Erkenntnisgewinn ließ lange genug auf sich warten –, dass Füße während des Schuhkaufs, genau wie die Original Münchner Weiß-wurst, das Zwölfuhrläuten nicht hören dürfen. Allerdings im umgekehrten Sinn: Morgens und am Vormittag sind sie noch schlank und formbeständig. Am Nachmittag, gegen Abend hin schwellen sie an. Nicht nur bei einem Schwergewicht, wie ich es bin. Wer vormittags Schuhe kauft, wird am Abend nicht gut Freund mit ihnen sein. Gelernt habe ich außerdem, dass der Mensch auch nach der Pubertät nicht zu wachsen aufhört. Anders lässt sich nicht erklären, dass aus meiner relativ kleinen, eleganten Schuhgröße 39 inzwischen immerhin eine stattliche 41 geworden ist. Meine Freundin Brigitte kommentierte diese erstaunte Feststellung meinerseits schon in Halbzeit, als ich verwundert bei 40 angelangt war, mit dem ernüchternden Satz: »Getretener Quark wird breit, nicht stark.« Na, ich dankte auch schön.

Dass gekühlter Quark ein hilfreiches Mittel gegen in Brand geratenen Sohlen sein kann, verhilft dem Spruch, der sich in seiner ursprünglichen Bedeutung gegen Dauerquassler und Problemzerreder richtet, allerdings zu einer Neuinterpretation, die Nichteingeweihten unbekannt ist.

Ein Messetag ist lang, und Kenner wissen Kantaten davon zu singen. Vor allem deshalb, weil so ein Tag am Abend nicht zu Ende ist. Wer jung ist und sich noch am unteren Ende der Karriereleiter befindet, fängt jede Messe erst einmal mit Stehen und Laufen an. Das hat den Vorteil, dass die schicken (noch nicht »eingetretenen«) Schuhe viel besser zur Geltung kommen, während man Verlegern, Autoren, Buchhändlern und Journalisten fröhlich Kaffee holt, Aschenbecher ausleert, Bücher aus Regalen angelt und die immer gleichen Fragen beantwortet. Je nach Körpergewicht verliert sich das selbstgefällige Lächeln während des Hin-und-Her-Eilens schon gegen Nachmittag des ersten Tages, weil die Füße inzwischen nicht mehr unterscheiden können, ob sie in einem Becken mit glühenden Kohlen stecken oder in Beton gegossen wurden.

Dennoch fiebern alle heurigen Messehasen den Abenden entgegen. Denn die sind es doch, die die (meist eingebildeten und von ausufernden Phantasien getragenen) Versprechungen des Tages einlösen sollen. Aber wie an die Orte der Verheißung gelangen? Auf den pochenden, geschwollenen Füßen? Wie überhaupt erst mal ins eigene Hotel kommen, bevor man sich frisch geduscht dort hinbemüht, wo vielleicht der Bär steppt? Endlos lange Menschenschlangen an den Taxiständen (wo man auch noch jede Menge Leute trifft, die man gerade jetzt überhaupt nicht treffen will, weil sie einem Verabredungen für den nächsten Tag aufzwingen oder gar Aufträge erteilen, oder – noch schlimmer – sich einem anschließen wollen), überfüllte S-Bahnen und kein Kollege weit und breit, der sein Auto im Parkdeck stehen hat, so dass man auf bequeme Art von hinnen käme.

In so einer Situation packte mich einmal der heiße Zorn und ich beschloss, den ziemlich weiten Weg von der Messe zum Hotel zu Fuß zu gehen. Einer meiner autoaggressiven Wutanfälle, der in diesem Fall die Vernichtung meiner Füße im Visier hatte, um endlich Ruhe zu haben, nach dem biblischen Motto: »Wenn dich dein linkes Auge ärgert, dann reiß es aus!« oder so ähnlich. Schon nach weniger als einem Kilometer hätte ich mich am liebsten geohrfeigt für meine grenzenlose Dummheit, aber nun war es eindeutig zu spät. Inzwischen war es dunkel geworden und ich sah den kleinen Frankfurter Stadtpark vor mir. »Die Rettung! Kühles nasses Gras!«, schienen mir meine Füße zuzurufen. Und sie hatten Recht. So nahm ich barfuß eine Abkürzung durch die Grünanlage. Als ich das Abenteuer später erzählte, waren alle Frankfurtkenner entsetzt: Ich sei mit bloßen Füßen durch einen Drogentreffpunkt gelaufen und mit mehr Glück als Verstand nicht in eine gebrauchte Spritze getreten.

Ich werde nie vergessen, welche kuriosen Ratschläge in meinen ersten Messejahren zum Thema »Wie hält man Schusters Rappen fit?« kursierten. Die eine Kollegin schwor auf das Fußbad in Buttermilch oder die kühlen Quarkpackungen. (Wo kriegt man abends in einem Hotel vier Pfund kalten Quark her?) Die andere steckte die Füße abwechselnd in eiswürfelgefüllte Sektkühler. Und wieder andere schworen auf eine Massage mit Hirschhornsalbe nach einer warmkalten Beinwechseldusche.

Männer sehen so etwas viel pragmatischer. (Kunststück! Deren Schuhauswahl ist ja auch sehr beschränkt.) Das Mitleid der Kollegen – soweit man das Problem nicht ohnedies vor ihnen verbarg – hielt sich meist in Grenzen. Einer erzählte mir einmal, dass die reichen Engländer dafür längst eine Lösung gefunden hätten: Auf der Insel gebe es Firmen, die die Schuhe für ihre Kunden »eintragen« lassen, bis sie weich und geschmeidig sind. Ich glaubte es sofort. In einem Land, in dem der Diener seinem Herrn morgens die Zeitung glatt bügelt, ist auch die Geschäftsidee des »Schuhweiters« nicht unmöglich. Wenn ich so reich wäre, würde ich mir allerdings lieber Maßschuhe anfertigen lassen.

Der Ratschläge und Ideen gab es also viele: Nur der eine, der einzig richtige Rat, wurde auch von mir jeweils mit einem lässigen Schulterzucken und einem »Ja, ja, hast ja eigentlich Recht!« abgetan. Auch ich wollte jahrelang einfach nicht gescheiter werden und verschmähte das Motto »Geben Sie Ihren Füßen auch auf Messen ein Zuhause«. Erfahrene Kolleginnen demonstrierten genüsslich ihr Fußwohl, indem sie ihre Zehen in Schuhen mit so viel Spielraum bewegten, dass man diesen Vorgang neidvoll durch das Oberleder hindurch erkennen konnte. Aber der Weg ins Paradies ist nun einmal nicht nur mit Erfahrungen gepflastert, sondern manchmal auch mit Hansaplast.

Bevor ich endlich in die heutige Lebensphase des Genießenkönnens und auch während fußläufig anstrengender
Zeiten ins Land der bequemen Schuhe kam, gab es eine
amüsante Zwischenphase. Schon längst konnte ich abends
nicht mehr meinen halb privaten Gelüsten frönen, weil
ich in dieser Zeit verantwortliche Organisatorin und Gastgeberin diverser Veranstaltungen meiner Verlage war:
Unsere Autoren wurden auf Cocktailpartys, großen, mittleren oder kleinen Empfängen oder bei gesetzten Abendessen mit Journalisten, Buchhandelskollegen, Prominenten und anderen wichtigen Meinungsmachern bekannt
gemacht. Also war keine Zeit mehr für Wanderungen
durch den Stadtpark, sondern es galt, etwas vor den üblichen Taxistoßzeiten von der Messe weg ins Hotel zu
hetzen. Oft genug hat die Zeit nur mehr gereicht, eine
neue Make-up-Schicht aufzutragen, den Lidstrich not-
dürftig zu renovieren und sich in neue Kleider zu werfen.
Nicht nur einmal kam Herr Carl, der beste Portier der
Welt, oder einer seiner fabelhaften Kollegen in der Halle
des »Frankfurter Hofs« mit einer Schere hinter mir her-
geeilt, um mir noch schnell und diskret das Preisschild
vom neuen Kleid abzuschneiden.

Während man am jeweiligen Ort des Geschehens dann
mit den Mitarbeiterinnen und dem Hotel- oder Restau-
rantpersonal alles noch einmal checkt, was bei der Ver-
anstaltung schief gehen könnte (und Auslöser gibt's jede
Menge: vom Mikrofon über die Höhe des Stehpults und
die dort bereitstehende Mineralwasserflasche samt Glas
bis zur Funktionstüchtigkeit der Leselampe und noch

tausend anderen Kleinigkeiten, von den Tischkärtchen bei einem gesetzten Essen ganz zu schweigen, die bis kurz vor Eintreffen der ersten Gäste dauernd geändert und neu geschrieben werden müssen, weil telefonisch Vertretungen oder zusätzliche Begleitpersonen angekündigt werden), denkt man eine ganze Weile nicht mehr an den Schmerz, der da unten, dicht über dem Parkett, nach wie vor mit Vehemenz tobt. Man spürt ihn auch nicht, während man die ersten Gäste begrüßt und untereinander bekannt macht (und verzweifelt blitzschnell über den einen oder anderen Namen nachdenkt, um ihn dem richtigen Gesicht zuzuordnen) und darauf achtet, dass alle mit Getränken versorgt sind und die richtigen Gesprächspartner finden. In dieser Phase der Abende war mein Adrenalinspiegel denn auch immer hoch genug, um jeden Schmerz zu übertönen.

Aber wehe, ich kam nach der ersten Aufregung zur Ruhe oder gar endlich dazu, mich hinzusetzen. Das war zwar einerseits eine Erlösung, hatte aber leider zur Folge, dass ich mir meiner Füße bewusst wurde. Und dann kam auch schon der Schmerz, und zwar wie Blitz und Donner gleichzeitig. Die Gewichtsverringerung lässt das Blut in die Füße schießen, dass einem der Atem stockt. Da ließen sich selbst bei größter Willensanstrengung Grimassen manchmal nicht ganz vermeiden.

In genau so einer Situation hob einer meiner Tischpartner, dem mein leises Stöhnen nicht entgangen war und dem ich gestand, dass meine Füße gerade explodierten, das Tischtuch und warf einen Blick auf meine wunderschönen, hochhackigen Roten (die Klasse aussahen zu meinem langen, geschlitzten schwarzen Kleid!) und die völlig verschwollenen Knöchel. Er schüttelte den Kopf und meinte nur trocken: »Verstehe einer euch Frauen. Warum macht ihr nur diese Spiele mit, ohne sie zu hinterfragen?«

Welche Spiele? Und dann folgte auf mein Nachfragen eine höchst interessante Geschichte: Frauen, das hätten Verhaltensforscher, vor allem Männer, herausgefunden, finden hohe Absätze an Frauenbeinen deshalb so animierend und schön, weil sich dadurch die Körperhaltung beim Gehen so verändert, dass das Hinterteil als sexuelles Lockmittel ins Zentrum des männlichen Blickfelds rückt. Ich weiß noch, dass ich an der Stelle des recht amüsanten und ausdrucksstark vorgetragenen Referats (dem inzwischen auch die anderen Tischnachbarn mit zunehmendem Interesse lauschten) schlagartig eine nacktärschige Pavianhorde vor mir sah. Wie elektrisiert streifte ich sofort meine Schuhe unter dem Tisch ab. Mit diesem atavistischen Instinkt wollte ich in dem Moment nichts zu tun haben. (Zudem sind Paviane diejenigen Affen, die ich am wenigsten mag.) Verderben konnte ich außerdem ja nichts: Erstens *saß* ich auf dem angeblichen Signalorgan, zweitens ist mein Hinterteil wahrlich nicht das Beste an mir, und drittens gab es längst einen Mann, der andere Qualitäten an mir schätzte und der mit am Tisch saß, wenn auch am anderen Ende.

An diesem Abend habe ich zwar die Anbetung der hohen Absätze noch nicht gänzlich aufgegeben – hohe

Hacken sind einfach schön, auch ohne sexuelle Hinter-
gedanken. Aber ich beschloss, dass ich künftig nach zehn
Uhr abends auch mit den Schuhen in der Hand durch
eine Hotellobby gehen dürfe. Gesagt, getan, und so habe
ich es all die Jahre danach auch gehalten und dabei die
wunderbare Entdeckung gemacht, dass der edle, kühle
Marmorboden einer Hotelhalle weitaus wohltuender ist
als beispielsweise eine Quarkpackung.

Solche kleinen Regelverstöße können sogar zur Imagebildung beitragen. Bei den Kollegen hieß ich ab sofort die
»barfüßige Gräfin«.

Die Erkenntnis, auch mit den Schuhen in der Hand
durchs ganze Land zu kommen, habe ich seither noch
oft in die Praxis umgesetzt. Stehempfänge, die sich stundenlang hinziehen, fordern den Reflex, spätestens im Taxi
die hohen Hacken abzustreifen und Großmutters Spruch
»Schönheit muss leiden« hinter sich zu lassen, geradezu
heraus. Und warum dann, direkt vor dem Hoteleingang,
noch einmal mit der Quälerei beginnen? Inzwischen darf
man Rotwein zu Fisch trinken und Soßen mit Weiß-
brot auftunken, sich die Haare in Farben färben, denen
auf Anhieb anzusehen ist, dass sie nicht die natürlichen
sind. Weshalb sollte man dann zu nächtlicher Stunde
nicht barfuß das Hotel betreten dürfen – vorausgesetzt,

man wohnt da und hat die Absicht, seine Rechnung zu bezahlen?

Dass derart »liederliche« Ausnahmegewohnheiten auch zu peinlichen Situationen führen können, habe ich am Anfang nicht einkalkuliert. Etwa damals bei dem Autoren-Journalisten-Essen, als deutlich mehr Personen am Tisch saßen als vorgesehen. Die Sitzlage war so beengt, dass der Oberkellner abwinkte und mir zuflüsterte, dass hier auch mit Notlösungen nichts mehr zu machen sei. Der Tisch zu klein, der Leute zu viele. Schließlich entfernte er auf mein Flehen hin die raumgreifenden, silbernen Platzteller und platzierte mich und drei Verlagskollegen an den Tischecken (mit der Folge, daß wir auf das Menü verzichten und uns mit Brot und Butter begnügen mussten), so dass die Gäste halbwegs untergebracht werden konnten. Irgendwie ging es, wenn ich heute auch nicht mehr weiß, wie. Und wie so oft im Leben, wenn etwas problembeladen anfängt: Es wurde einer der erfolgreichsten Abende, die ich je in Frankfurt erlebte. Vielleicht gerade deshalb, weil sichtlich improvisiert werden musste, was Leute ja automatisch miteinander verbindet.

Die entspannte Stimmung führte dazu, dass nach Beendigung des Essens von den Anwesenden ein Zug durch die Gemeinde gewünscht und auch beschlossen wurde. Irgendjemand hatte eine angeblich wunderbare neue Bar entdeckt, die man vom Hotelrestaurant aus sogar zu Fuß erreichen könne. Also angelte ich unterm Tisch nach meinen Schuhen, doch o weh, nur mehr einer da – der zweite verschwunden. Es half nichts, ich musste mein Problem offenbaren, und der Suche schlossen sich vor allem die Männer unter großem Hallo lautstark an. Der Ausreißer fand sich. Allerdings ein paar Tische weiter …

So war ich also ein paar Jahre lang die »barfüßige Gräfin«, bevor ich offenbar wie von selbst entdeckte, dass flaches Schuhwerk nicht automatisch unschick sein muss (und im Übrigen das Kofferpacken enorm erleichtert). Allerdings laufe ich zu Hause sowieso immer barfuß, das ist nicht nur bequem, sondern auch gesund und ersetzt zumindest im Ansatz die Fußreflexzonenmassage. Im Büro sollte man Schuhe allerdings »einschlüpfbereit« halten. Einmal suchte mich einer meiner Bosse in meinem Büro auf (was er sonst eher selten tat, der, von dem ich hier spreche, war eher ein »Zu-sich-Rufer«). Nach unserer Besprechung, die mit einer Terminabsprache verbunden war, rief er im Weggehen ins Zimmer meiner Sekretärin: »Und sorgen Sie dafür, dass sie morgen dort mit Schuhen auftaucht!«

Heute kann ich mir auch ohne Zuhilfenahme von Pavianbildern erklären, warum wir Frauen es so sehr lieben, hohe Absätze zu tragen. Es hat vielleicht damit zu tun, dass wir alle gerne ein bisschen schweben würden (am liebsten natürlich auf Wolke sieben) und daher – da der Alltag diesen Zustand so selten bietet – zumindest »schuhmäßig« so wenig Bodenberührung wie möglich suchen. Auf den Zehenspitzen, den Fußballen zu gehen, was ein hoher Absatz ja erfordert, kommt dem Schweben am nächsten. Vielleicht müssen wir erst ein gewisses Alter erreichen, um dem Boden, der uns trägt und der eine zuverlässige Basis ist, etwas mehr Vertrauen und Sympathie abzugewinnen. Solange man »hoch hinauswill« – meist ohne noch recht zu wissen, wohin genau –, gibt es natürlich kein passenderes Schuhwerk als High Heels.

Aber sobald die Karriereschlachten geschlagen sind, kann man sich der Lebensvariante *Down to earth* zuwenden, wie es im Englischen so treffend heißt. Sie ist meiner Meinung und Erfahrung nach nicht die schlechteste. Für mich fast so etwas wie ein Siegerpokal. Man hat ihn dafür errungen, dass man unter Schmerzen gelernt hat, wie sich die eigenen Wünsche und Träume am unkompliziertesten und sichersten erfüllen lassen. Denn man kann einfach nicht ein Leben lang balancierend und schwebend darauf verzichten, auf festen Grund zu kommen. (Außerdem bückt es sich bei nicht genau austariertem Körperschwerpunkt nur unter großer Kippgefahr.) Auch gilt es zu bedenken, dass das Gute – in welcher Form auch immer – ganz im Gegensatz zum Sprichwort selten ausschließlich von oben kommt. Viel öfter, als man meint, liegt es – im übertragenen Sinn – geradezu auf der Straße, oft direkt vor den eigenen Füßen.

Und wer jetzt glaubt, im Land der flachen Schuhe gäbe es keine Träume vom Schweben und Tanzen mehr, den kann ich beruhigen. Ich habe seit geraumer Zeit eine neue Schuhliebe entdeckt. Ich stürze mich mit Vorliebe auf alles, was Ballerinas heißt. Nicht nur, weil sie weich und bequem sind. Das auch. (Auf meinen neuesten geht man so weich und federnd wie auf Waldboden – und trotzdem findet der Fuß ein festes Bett.) Aber der wahre Grund ist ganz sicher ein anderer. Der Ausdruck Ballerinas kommt von Ballett. Und wovon träumen kleine und große Dick-häuter, wie ich einer bin? Genau.

Der Himmel war nicht eingestürzt, niemand zeigte mit dem Finger auf mich. Keiner wandte sich grußlos oder gar peinlich berührt von mir ab. Es war einfach wie immer. Ganz normal. Aber als ich beim Bäcker an der Theke stand und während des Wartens in einen Spiegel sah, der da hing und für einen Mülller oder was warb, sah ich mit größer werdenden, erstaunten Augen, dass es dafür hätte Anlass geben können. Ich war offenbar ungeschminkt aus dem Haus gegangen! Denn da schaute mir ganz unvermutet das Gesicht entgegen, das mir sonst nur morgens zu Hause im eigenen Spiegel begegnet.

Ich war perplex! Mein nacktes Gesicht, ganz ohne jede Tünche – hier vor allen Leuten! So viel Freizügigkeit gestattete ich mir normalerweise nur in den eigenen vier Wänden. In mein entgeistertes Spiegelgesicht hinein meinte ich meine Großmutter wie in meiner Teenagerzeit sagen zu hören: »Zwick dich in die Wangen oder geh gleich mal an die frische Luft. Du siehst aus wie gekotztes Apfelmus!«

Morgenstund' hat für mich von jeher kein Gold im Mund gehabt. Ich komme am Tagesanfang nur schlecht in Fahrt. Bin eher eine Meisterin der »zweiten Luft«. Nach Mitternacht bin ich oft so frisch wie andere Leute in ihrer »Morgenstund«. Klar – geschminkt wirke ich irgendwie aufgeräumter, geglätteter und natürlich nicht so blass. Rouge über den Wangenknochen, Lippenstift und Eyeliner geben jedem Gesicht – einem so großflächigen wie dem meinen aber zumal – mehr Konturen. Aber im Großen und Ganzen sehe ich auch mit Schminke in etwa so aus, wie ich mich eben hier so erstaunt im fremden Spiegel entdeckte. Daran ändert auch Flüssig-Make-up Nr. 3 von Chanel nichts.

Nicht jede kann Claudia Schiffer oder Sharon Stone sein, schoss es mir da beim Bäcker wie entschuldigend durch den Kopf. Ich bin ich und eben keine andere, legte ich trotzig nach. Gekotztes Apfelmus hin oder her. Mit keinem anderen Menschen verwechselt werden zu können – ob beim Bäcker, Metzger oder anderswo –, ist durchaus eine Qualität, die man nicht gering schätzen sollte. Das alles sagte mir mein Verstand, direkt in mein Spiegelbild hinein. Der somit geradezu zornig auf diesen Überraschungsmoment und meine Kleinmütigkeit reagierte. Aber irgendetwas überzeugte mich doch nicht an meinem inneren Dialog. Ich war schwer verunsichert.

Mehr noch: Ich war regelrecht erschrocken über den Anblick meines gänzlich unglamourösen, ungeschützten Milchgesichts, so fern der heimatlichen Schminktöpfe. In meiner Verwirrung ließ ich nach dem Zahlen sogar den Apfelstrudel an der Kasse liegen, den ich zum Kaffee mitbringen wollte.

Ich bin seit meinem einundzwanzigsten Geburtstag nicht mehr ungeschminkt aus dem Haus gegangen. Was war bloß an diesem Vormittag passiert? War es reine Gedankenlosigkeit, Nachlässigkeit, Schlamperei? Dabei fühlte ich mich prima, hatte extrem gute Laune und auch jeden Grund dafür. Vor ein paar Monaten hatte ich nach über einem Jahrzehnt meinen immer unfröhlicher machenden Superjob gekündigt und mich wieder – das zweite Mal in meinem Leben – selbstständig gemacht. Mit Mitte fünfzig und in der derzeitigen Wirtschaftslage schon fast heldenhaft (bis verrückt), wie viele Freude und Bekannte fanden. Aber schon nach wenigen Wochen meiner »gesprengten Ketten« habe ich feststellen können, dass meine Entscheidung goldrichtig war. Endlich war ich wieder ganz bei mir, musste mir nicht mehr den Kopf ausschließlich über die Befindlichkeiten anderer zerbrechen. Konnte mich wieder um meine eigenen Angelegenheiten kümmern und um die Menschen und Dinge, die mir wichtig waren. Kein schlechtes Gewissen mehr, weil ich mich schon wieder ewig nicht mehr bei der Familie oder Freunden gemeldet hatte, keine Angst mehr vor dem spätabendlichen Klingeln des Telefons und der vorwurfsvollen Stimme meiner Mutter, die fragt: »Gibt's dich noch?«

Ich war wieder »Herr« meiner selbst. Das ist ein unbeschreiblich befreiendes Gefühl. Fast wie neugeboren. Es gab auch keinen unangenehmen Stress oder Ärger auf dem »Jungunternehmer«-Schreibtisch. Ganz im Gegenteil. Und das Allerschönste an meinem neuen Leben war: Alles Erfreuliche daran, egal ob beruflich oder privat, hatte ich mir selbst und niemandem sonst zu verdanken.

Fühlte ich mich vielleicht aufgrund des neuen Lebensgefühls so stark, dass ich plötzlich bereit war, allen Leuten mein maskenloses Gesicht zu zeigen? Oder, noch besser, hatte ich endlich eine so hohe Stufe der Selbstsicherheit erreicht (an der es mir allerdings noch nie wirklich mangelte), dass es mir endlich wirklich egal war, was andere über mich dachten? Als klugen Spruch hatte ich diese Maxime ja schon oft von mir gegeben (oft genug auch danach gehandelt und mich dann doch über die nicht immer ausbleibenden negativen Folgen geärgert) und auch anderen ungefragt als weisen Rat verkauft. Aber zwischen einem klugscheißerischen Spruch und einer tiefen inneren Überzeugung ist eben doch immer noch ein himmelweiter Unterschied.

Jedenfalls beschäftigte mich meine völlig überraschende Verhaltensänderung noch den ganzen Tag über und brachte mich zum Grübeln. Schon auf dem Nachhauseweg war mir dazu der Klatsch über die Ehefrau eines früheren Chefs eingefallen. Im Verlag kannten sie alle, weil sie vor der Eheschließung mit dem Boss dessen Chefsekretärin war und wir jeden Tag mit ihr zu tun hatten. Nicht vor ihr und auch nicht danach habe ich je eine Frau gekannt, die so perfekt (und so stark) geschminkt war. Sie hätte zu jeder Bürostunde einen Profifotografen für ein Titelblatt-Shooting empfangen können. (Und meine Reinigung hätte sicher ihre Freude an ihr gehabt. Ich sage nur: Make-up am Kragen!)

Einer Kollegin erzählte sie angeblich einmal in einer weinseligen Stunde, dass ihr Ehemann sie noch nie ungeschminkt gesehen habe. (So ging es ihm im Büro übrigens auch. Niemand wagte es je, ihm Probleme ungeschönt auf den Tisch zu legen.) Da er prinzipiell mit Ohropax schlief, stellte sie sich jeden Abend den Wecker so, dass sie eine Stunde vor ihm geweckt wurde. Diese Stunde verbrachte sie im Bad, um ihm schon morgens vollendet schön geschminkt entgegentreten zu können. Und abends wartete sie ab, bis er eingeschlafen war, um danach all die Pracht in Ruhe abräumen zu können.

Als ich diese Geschichte zum ersten Mal hörte, schien sie mir völlig unglaubwürdig. Wie konnte man nur so viele schöne Stunden seligen Schlafs vergeuden – um eines Versteckspiels willen? Aber wenn ich dieses – zugegeben extreme – Verhalten als dermaßen absurd empfand … musste ich mich dann nicht selbst fragen, warum mich mein eigener unbemalter Anblick derart verwirrt hatte?

Dabei weiß ich aus Erfahrung, dass selbst Showprofis privat gelegentlich ihr wahres Gesicht zeigen. Meine mehrmaligen Begegnungen mit Hildegard Knef haben mir das gezeigt. Als sie ihren »Geschenkten Gaul« veröffentlichte, arbeitete ich in der Presseabteilung ihres Verlages. Es war eines der ersten Bücher in Deutschland, das so vermarktet und promotet wurde, wie es in den USA nicht nur für Filme, Musik und Wahlkämpfe, sondern auch für Bücher und deren Autoren schon längst üblich war: eine vierzehntägige Tour durch Deutschland, jeder Tag voll gepackt mit Interviews und Signierstunden, und abends so viele TV-Auftritte, wie zu bekommen waren.

In den Verlag kam währenddessen waschkorbweise Fanpost, und bei jeder Signierstunde wurden massenweise Geschenkpäckchen bei »Hildchen« abgegeben. Sie hat übrigens kaum etwas davon behalten und das meiste uns Mitarbeitern weitergeschenkt. (Noch heute hängt ein buntes Seidentuch aus dieser Kollektion in unserem Bad, das wir bei Halsschmerzen umbinden: Seide hält warm!) Wir hatten strenge Anweisung, alle Pralinenschachteln, Edelkonserven, Marmeladen und selbst originalverschlossene Getränkeflaschen wegzuwerfen. Der Grund lag darin, dass es damals Morddrohungen gegen die Knef gab, die aufgrund einer Indiskretion auf der BILD-Titelseite auch noch aller Welt verkündet wurden. Was die Gefahr erhöhte.

Natürlich hielten wir jungen Dinger uns nicht an die Anweisung des Verlegers und futterten zumindest alles Süße – davon kamen Massen – auf. Nach einer solchen Pralinenorgie fiel die Kollegin mir gegenübersaß plötzlich vom Stuhl und schrie: »Ich kann nichts mehr sehen, ich kann nichts mehr sehen!«, ehe sie ohnmächtig wurde. Mir blieb das Herz stehen und ich schlug Alarm, weil ich natürlich dachte, sie habe sich vergiftet. Als der Notarzt kam, war sie längst wieder auf dem Damm, und er riet ihr, zum Frauenarzt zu gehen. Ein guter Rat. Sie war schwanger.

Alle diese Briefe und Päckchen landeten auf meinem Schreibtisch. Ich bereitete die Antworten und Dankesbriefe vor und fuhr nach Abschluss der Promotion-Tour voll gepackt mit Unterschriftsmappen nach Anif bei Salzburg, wo die Knef mit Ehemann David Cameron, ihrer kleinen Tochter und einer Haushälterin im Haus von Susi Nicoletti wohnte. Ich blieb zwei Tage und erledigte nach

Diktat die Post, die auch dort in Mengen inzwischen auf-gelaufen war. Auf diese Weise habe ich nicht nur erfahren, dass die Knef ganz wunderbar Betten beziehen konnte (dabei hatte sie mir im Gästezimmer geholfen, und ich war schwer beeindruckt von dieser unvermuteten haus-fraulichen Qualität), sondern konnte auch aus nächster Nähe sehen, wie froh ein Star darüber ist, auch einmal ohne dicke Make-up-Schichten und aufgeklebte Wim-pern in Doppelreihen herumlaufen zu dürfen. Die Knef hatte gar kein Problem damit, sich mir, dem Postboten und Handwerkern, die ins Haus kamen, in natura zu zeigen (solange kein Fotograf in der Nähe war).

Jahre später, als sie das Buch über ihre vielen Krankhei-ten und Operationen geschrieben hatte, begleitete ich sie wieder bei ihrer Tour durch Deutschland und die Schweiz.

Wir waren zu viert unterwegs: sie selbst, der Fahrer (der zugleich Außendienstmitarbeiter des Verlages war und daher viele der Buchhändler und die Anfahrtswege kannte), eine Visagistin, die eigens für die Knef engagiert war, und ich, um mich um die Autorin, ihr Wohlbefinden und ihre Pressetermine zu kümmern. Die Knef hatte so viel Gepäck dabei, dass der Kofferraum für unser aller Dinge nicht reichte und ich im Fußbereich vor dem Bei-fahrersitz noch zwei Schminkkoffer verstauen musste.

Damals habe ich gelernt, dass Schminke für ordent-liche Fotos einfach sein *muss,* ganz unabhängig vom Alter der Person. Das erfordert viel Zeit, pfundweise Tiegel und Töpfe und jede Menge »Handwerkszeug«. Die Fol-ge: Auf dieser Tour war Tag für Tag frühes Aufstehen für den Star angesagt, um der Visagistin genügend Zeit zu geben, den perfekten Knef-Look herzustellen. (Ihn wieder abzuräumen, schaffte sie allein. Wenn wir spätabends, nach einem Essen mit Buchhändlern, Journalisten und Honoratioren der Stadt oder nach einer Talkshow endlich aufs Hotelzimmer kamen, um noch rasch den Ablauf des nächsten Tages zu besprechen, rupfte sie sich als Erstes ihre berühmten dichten Wimpernlagen mit einem Wohllaut von den Lidern.)

So ein Tourneetag ist lang, weil von morgens bis spät nachts voll gestopft mit Terminen. Zudem verbrachten wir fast jeden Abend in einem anderen Hotel, was bedeutete, bei Ankunft auszupacken und morgens wieder einzupacken. Am letzten Tag hatten wir, von Luzern kommend, eine Signierstunde in einer Buchhandlung in Singen am Hohentwiel. Wie an allen Orten, wo die Knef auftrat, waren auch hier die Räume der Buchhandlung gesteckt voll mit Fans. Es gab kaum ein Hinein- und nach einer Stunde kaum ein Herauskommen.

Als die Knef sich danach völlig erschöpft in den Rücksitz unseres Wagens fallen ließ und wir in Richtung Ulm losfuhren, wo am Spätnachmittag der nächste – und letzte – Buchhandelstermin anberaumt war, kam von hinten ein dumpfes Stöhnen: »Ich hab die Nase voll. Warum begreifen die Leute nicht, dass ich nicht ins Buch schreiben kann: ›Meiner Tante Luise?‹ Das sind doch nicht meine Tanten. Außerdem ist mir elend heiß. Alles juckt. Am liebsten würde ich mir die ganze Pampe vom Gesicht kratzen und mich ins nächste Bett schmeißen!« Pause.

Und dann: »Kann ich nicht einfach krank sein? Was noch nicht einmal gelogen wäre.«

Sie tat mir wirklich Leid, zumal sie eine sehr disziplinierte und meistens völlig unzickige Person war, die das bisherige Wahnsinnsprogramm ohne mit den Wimpern zu zucken klaglos absolviert hatte. Und ich beschloss – ohne lange nachzudenken, damit ich gar nicht erst Angst vor meiner Spontanentscheidung bekommen konnte –, sie zu erlösen. Wir hielten an der nächsten Telefonzelle (Handys gab's damals noch nicht), ich rief im Verlag bei der Vertriebskollegin an und bat sie, Ulm abzusagen. So etwas ist, wie ich heute weiß, keine Kleinigkeit. An diesen Veranstaltungen hängt unendlich viel Organisation, vor allem auch von Seiten der Buchhändler, und eine solche Absage kann das Verhältnis zwischen einem Verlag und seinem Buchhandelskunden nachhaltig schädigen.

Ich widerstand dem Flehen und Jammern am anderen Ende der Leitung und zog die Halbwahrheit der Erkrankung durch. Die drei anderen im Wagen dankten es mir. Und ich habe an dieser Stelle Gelegenheit, mich bei dem Buchhandelskollegen in Ulm mit über zwanzigjähriger Verspätung dafür zu entschuldigen, dass wir damals alle miteinander schlapp machten. (Die Knef war ein eisernes Zirkuspferd, sie hätte diesen Termin schon noch irgendwie durchgestanden. Aber wir anderen hatten die Schnauze mindestens ebenso voll wie sie. Das ist die Wahrheit!)

Aber zurück zur Schminke: Es ist faszinierend, was sie auf einem Gesicht bewirken kann. Vor Fernsehauftritten ist uns Laien ja immer etwas bange. Da kann ich noch so viele Autorenschützlinge begleitet haben und noch so genau wissen, wie diese Interviews und Talkshows vor und hinter den Kulissen funktionieren. Sobald man selbst auf dem Präsentierteller sitzen soll, ist das doch noch einmal etwas ganz anderes. Ein großer Teil des Lampenfiebers vor einem eigenen Auftritt verfliegt jedoch merkwürdigerweise, sobald ich in der Maske sitze. Abgesehen davon, dass es entspannend ist, wenn man auf diese Weise »betütelt« wird, ist es auch immer wieder höchst verblüffend, der eigenen Verwandlung zuzuschauen. Unter den Händen eines guten Maskenbildners kann so manches »hässliche Entlein« bald aussehen wie ein strahlend schöner Schwan. Nicht nur werden Mängel (beispielsweise Hängebäckchen durch dunkleres Make-up oder Rouge) optisch weggetäuscht beziehungsweise gemildert. Viel interessanter noch ist der Effekt des fremden Blicks und das Überraschungsmoment, wozu das eigene Gesicht, das man zu kennen glaubt, einen Visagisten anregt. Was er oder sie daraus macht, oder vielmehr an bisher Verborgenem durch Kunstgriffe mit Hilfe von Pinsel und Farbe herausholt.

Meine praktische, pumucklhafte Rubbelhaarfrisur beispielsweise habe ich einem Maskenbildner des Hessischen Fernsehens zu verdanken. Ich kam auf den letzten Drücker zu einer Live-Sendung, mit einer langweiligen, angeklatschten Nichtfrisur, die genau wie ich schon ein paar

Stunden Standdienst hinter sich hatte. Der Mann betrachtete diese für ihn offenbar »haarige« Angelegenheit eine Weile missbilligend, schien plötzlich einen Entschluss gefasst zu haben und griff nach einer Dose. Flugs holte er einen Klecks von blauem Glibber (sah irgendwie aus wie Götterspeise) heraus, verrieb das Ganze zwischen seinen Händen und anschließend in wildem Furor kreuz und quer auf meinem Kopf.

Zuerst erschrak ich, denn ich sah aus, als sei ich an ein Stromkabel angeschlossen worden: Die Haare standen mir wie rote Blitze zu Berge. Der Maskenbildner aber machte ein wohlgefälliges Gesicht und fing an, da und dort zu zupfen. Und tatsächlich, jetzt sah ich es auch: Ich hatte mich im Handumdrehn in Pumuckls ältere Schwester verwandelt. Die Frisur gewordene, spitzbübisch-fröhliche Frechheit in Person. Und das passte. Denn gerade war mein äußerst keckes Buch mit dem unverschämten Titel »Mein Chef ist ein Arschloch, Ihrer auch?« erschienen, und dieses Buch war auch der Grund, weshalb ich eingeladen worden war. Der Maskenbildner wusste das und erfand spontan dazu das passende Aussehen.

Ich bin ihm heute noch dankbar dafür. Weniger wegen des Pumuckl-Looks, sondern mehr noch wegen der höchst bequemen und schnellen Art, wie diese Frisur hinzukriegen ist: Haare waschen, trocknen, das »Gefieder« mit ein wenig Gel verrubbeln, ein bisschen zurechtzupfen und fertig! Vor zehn Jahren hätte ich den Mut zu so einer Frisur ganz bestimmt noch nicht gehabt. Heute gehört sie zu mir. (Bis mir wieder etwas anderes gefällt!)

Bleibt aber immer noch die leidige Frage, warum wir Frauen – denn ich weiß mich da bei weitem nicht allein auf weiter Flur – so angstvoll darauf bedacht sind, uns nicht ungeschützten Gesichts fremden Blicken auszusetzen. Reagieren wir wirklich so vordergründig und reflexhaft, dass wir perfektes Aussehen automatisch mit besseren Sympathiewerten und mehr Erfolgschancen in Verbindung bringen? Eine Einschätzung, die ständig von angeblich wissenschaftlichen Untersuchungen und deren Verbreitung in Büchern, Zeitschriften und im Fernsehen genährt wird. Haben wir Angst davor, andere Menschen könnten in unserem ungeschminkten Gesicht etwas erkennen, das wir am liebsten auch vor uns selbst verbergen möchten? Einen Charakterzug etwa, den wir nicht wahrhaben wollen? »Gekotztes Apfelmus« ist ja auch tatsächlich nicht gerade das, woran man andere erinnern will, oder? Wobei das ja noch relativ harmlos wäre. Aber beispielsweise harte Linien um den Mund – könnten sie Hartherzigkeit signalisieren? Verschwollene Augen – Unausgeschlafenheit oder Kummer? Ringe unter den Augen einen Leberschaden? Könnte bei dieser Interpretation irgend jemand eventuell sogar den (falschen) Schluss ziehen, man hätte ein Alkoholproblem? Oder, wie in meinem Fall, dieses blöde Doppelkinn. Signalisiert es nicht einen Hang zum ungezügelten Wohlleben, dass ich mich zu wenig beherrsche bei Tafelspitz und Kaiserschmarrn und dass ich mich zudem nicht gern bewege? (Natürlich tut es genau das. Und bringt mich auch noch in die dumme Lage, dass es sich nicht wegschminken lässt. Da könnte nur eine Diät Abhilfe schaffen. Wobei wir bei der Haut am Hals wären, die dann vielleicht Falten schlägt. Und wieder beim selben Thema, nicht wahr?)

All diese Einschätzungen, die ja im Übrigen meistens gar nicht zutreffen (bis auf mein Doppelkinn, da beißt die Maus nun mal keinen Faden ab), will der Mensch, vorwiegend der weibliche, instinktiv vermeiden. Und dafür greifen wir in die Farbtöpfe. Das sollte man sich nur öfter mal durch den Kopf gehen lassen, dann hörten wir vielleicht auf, ständig angstvoll und wie hypnotisiert an uns herumzupinseln. Und würden vielleicht sogar einsehen, dass die schönen, ach so perfekten prominenten Geschlechtsgenossinnen, die in Hochglanzblättern abgebildet sind, bei einem überraschenden Besuch am frühen Morgen vielleicht auch nicht auf Anhieb wiederzuerkennen wären.

Als ich das letzte Mal fotografiert werden sollte, breitete sich schon im Vorfeld ein ähnlich kribbliges Gefühl in meiner Magengrube aus, als hätte ich einen Gang zum Zahnarzt vor mir. Die Visagistin im Studio stellte sich als nett heraus und zudem als gute Psychologin. Der Fotograf war ein beruhigender, einfühlsamer Profi und seine aufmunternden Rufe: »Auf das Kinn achten. Ich brauche Spannung auf dem Kinn!« – »Die Augen auf! Nicht ganz so weit! Ja, so!«, hielten mich immerhin so auf Trab, dass ich über seinen Anweisungen meine sorgenvollen Gedanken an das womöglich entlarvende Endergebnis vergaß. Und wie sich später herausstellte, hat er es tatsächlich geschafft, ein paar Momente einzufangen und in Bildern festzuhalten, die mit meinen eigenen Vorstellungen und realistisch-verwegenen Wünschen übereinstimmen. Ich konnte mich sozusagen schwarz auf weiß davon überzeugen, dass ich mir meine »guten Seiten« nicht nur einbilde, sondern auch in der Lage bin, sie gelegentlich trotz aller Blockaden nach außen durchschimmern zu lassen.

Es ist ein angenehmes Gefühl (und wohl auch Ausweis für eine gewisse Reife), den eigenen Ängsten und den Gründen dafür auf die Schliche zu kommen. Das macht frei und irgendwie unabhängig. Wobei ich schon einsehe, dass weibliche Maskierungen zu bestimmten Zeiten ihre Gründe haben. Einer davon ist sicher – zumal in jungen Jahren, wenn man selbst noch nicht so genau weiß, wer man ist und welche Stärken man hat –, dass wir akzeptiert und anerkannt werden wollen. Am liebsten natürlich so, wie wir sind. Doch weil wir nicht daran glauben, dass das so einfach gelingen könnte und dass es bei allen Mitmenschen funktioniert, legen wir uns diverse Schminken zu. Es lohnt sich wahrscheinlich, darüber mal gründlich nachzudenken.

Bei meinen Grübeleien zu diesem Thema fielen mir drei meiner Lieblingsgeschichten ein: Zunächst der wunderbare alte Film mit Jean Marais »Die Schöne und das Biest«. Er handelt von einem reichen, stattlichen und prächtig gekleideten Mann, der den Zorn eines Zauberers

oder einer Hexe erregt hat und in ein zotteliges Ungeheuer verwandelt worden ist. Nur die bedingungslose
Liebe einer Frau kann ihn erretten, für die sein liebevolles
Wesen und nicht sein hässliches Aussehen ausschlagge-
bend ist. Allein dies könnte ihm seine wahre Gestalt zu-
rückzaubern. Geht natürlich gut aus.

Eine gleichnamige amerikanische Fernsehserie nahm
dieses Motiv in den neunziger Jahren auf. Zentrale Figur
war ein Mann mit Löwenkopf. Er lebt mit seinem Vater
(einem Wissenschaftler, der die Schuld am Aussehen seines Sohnes trägt) und einem bunten Völkchen Ausgesto-
ßener in geheimen Gängen und Höhlen unter der Stadt
New York. Nur eine junge New Yorkerin weiß von ihm
und dem Leben im Untergrund. Ich war hingerissen von
dieser Hollywood-Kitsch-Arie und habe keine Folge versäumt.

Und da wäre ja auch noch unser guter alter Frosch-
könig. Wobei an die Wand geklatscht zu werden eine
recht brutale deutsche Variante der Erlösung ist. Wer von
uns will das schon? Nun ja, genau das soll die Maskierung
von uns – oft ja gar nicht märchenhaften Wesen – wohl
vermeiden helfen.

Ich schminke mich trotz meines »Erweckungserlebnisses«
in der Bäckerei natürlich weiterhin. Also Entwarnung bei

allen Parfümerien, bei Chanel und auch bei meiner Reinigung: Ich bleibe euch als Kundin erhalten. Allerdings: Nicht immer, aber immer öfter kriegen mich seither auch Fremde ab und an mal »in echt« zu sehen. Nicht weil es mir egal ist, wie ich aussehe, sondern weil ich spätestens seit meinem fünfzigsten Geburtstag Frieden geschlossen habe mit meinen eigenen Unzufriedenheiten. Vielleicht lassen wir alle uns die Körbe eigener Wertschätzung aufgrund hochglänzender Außeneinflüsse auch manchmal einfach etwas zu hoch hängen? Es ist doch wahrlich verrückt, wenn Frauen ein Leben lang hungern, um eine Figur zu haben, die nicht für sie gedacht ist. Oder insgesamt einem (oft nur zeitgebundenen) Schönheitsideal nacheifern, das die Natur nun mal nur ganz selten »zuteilt«.

Wenn ich höre und lese, dass Paare ihre Kinder künftig via Genmanipulation quasi maßgeschneidert aus dem Schönheitskatalog aussuchen können, wird mir ganz seltsam zumute. Samenbanken bieten ihre »Ware« ja bereits entsprechend an und behaupten, dass über neunzig Prozent ihrer Kunden – also die zukünftigen Eltern – blonde Haare und blaue Augen auswählen. Eine schöne neue Menschenwelt, die für mich geradezu gruselig ist.

Dabei fällt mir noch ein Film ein: In H. G. Wells' »Zeitmaschine« fährt der Protagonist in die Zukunft und findet dort eine paradiesische Freizeitwelt vor. Bevölkert mit ausschließlich jungen, ausschließlich schönen blonden Menschen, keiner über zwanzig. Sie leben sorglos in den Tag hinein, sind aber völlig emotionslos. Wenn einer der Ihren beim Baden ertrinkt, rührt keiner einen Finger, um ihn zu retten. Nachts kommen »Untermenschen«, Furcht erregende, brüllende, zottelige Ungeheuer, aus der Erde hervor und holen sich die Blonden als Sklaven für Bergarbeit. Was für ein Bild: Das Böse lebt in hässlicher Form unter der Erde, und das Schöne – aller Gefühle beraubt – im »Paradies«.

Übrigens haben die schönen Blonden ihre früher vorhandene Kultur vollkommen vergessen: Ein Mädchen führt den aus der Vergangenheit kommenden Wissenschaftler in eine verfallene Bibliothek, in der alle Bücher zu Staub zerfallen, wenn man sie nur berührt. Lediglich eine CD-ähnliche, silberne Scheibe (erstaunlich, der Film wurde in den fünfziger Jahren gedreht!) gibt Töne von sich, wenn man sie aufstellt und wie einen Kreisel dreht. So erfährt der Besucher offenbar, wie es zu dieser Zukunft der Menschheit gekommen ist. Eine gruselige Welt. Noch ist es nur ein Film.

Wie gesagt, etwas weniger Zeit und Energie auf Versteckspiele in Sachen äußerer Hülle zu verwenden, täte uns allen gut.

Frieden mit sich selbst zu machen – und damit bis zu einem gewissen Grad auch mit dem Rest der Welt – ist eine wohltuende und sehr entspannende Errungenschaft. Motto: Ein echter Frosch braucht keine Maske.

Jedes Mal wenn wir kurz vor Paris waren, erfand ich irgendeine Ausrede, weshalb wir den Weg abkürzen und um die Stadt herumfahren sollten. Meistens kamen wir aus Südfrankreich oder Spanien. Ich habe mir viele Jahre nach meiner Scheidung den Kopf darüber zerbrochen, warum ich mich immer um Paris herumgedrückt habe. Inzwischen weiß ich es und auch, dass die menschliche Seele ein weites und weises Feld ist. Alles, was ich über Paris wusste – aus Romanen, Filmen und Reiseschilderungen –, war romantischer Natur. Paris ist und wird in den Köpfen der Menschen (aber ganz bestimmt der Frauen) immer die Stadt der Liebe bleiben. Dorthin, so sagte mir eine innere Stimme in jüngeren Jahren, sollte ich nur mit einem Partner gehen, den ich wirklich uneingeschränkt liebe.

Und so ist es dann auch gekommen. Mein Mann, der damals noch gar nicht mein Mann, sondern mein »neuer« Lebensgefährte war, schenkte mir zum fünfzigsten Geburtstag eine gemeinsame Wochenendreise in die Stadt an der Seine. Er suchte ein wunderbares, kleines Hotel in Saint-Germain aus, unweit der berühmten Cafés »de Flore« und »Deux Magots«. Es war ein lukullisches Abenteuer, endlich einmal selbst in der »Brasserie Lipp« zu speisen, die ich nur aus den Erinnerungen berühmter Schriftsteller und Romanciers kannte. Wir lachten uns schief darüber, als man uns wie allen Touristen nur einen Tisch im ersten Stock – von Eingeweihten auch »Sibirien« genannt – fernab von den Tafeln der hier Heimischen und Prominenten anwies. Trotz dieser »Diskreditierung«: So luxuriös und heimelig hatte ich mir »Sibirien« wahrlich nicht vorgestellt. Zum ersten Mal habe ich gelassen und voller Genuss Seeigel gegessen, die noch drei Stunden zuvor in ihrem ureigensten, wässrigen Lebenselement waren, bevor sie mir zum Opfer fielen. Allein der Geruch nach Tang, Salz und Meer, der von den Meeresfrüchtekistchen vor den Restauranteingängen ausging, ist unbeschreiblich.

Vor der Glaspyramide am Eingang zum Louvre mäanderte am nächsten Tag eine kilometerlange, auf Einlass wartende Menschenschlange, weshalb wir im Café in den Louvre-Arkaden Beobachtungsposten bezogen. Dort entdeckte ich am Kuchenbüfett zum ersten Mal eine wahre Dessertoffenbarung, die mich die (bis heute) nicht gesehene Mona Lisa fast vergessen ließ: Baba au rhum – ein leichtes Hefegebäck, mit Rum getränkt und einer köstlichen Honigglasur – ist ganz offensichtlich eine Hinterlassenschaft der Mauren und kann durchaus mit dem berühmten französischen Savarin konkurrieren.

Wir fuhren an diesem langen Wochenende mit der Metro kreuz und quer durch die Stadt, wanderten durch die wunderbaren Parks und besuchten vom Berg herabspazierend das Grab von Heinrich Heine im alten Friedhof von Montmartre. Überhaupt – die zauberhaften Friedhöfe von Paris, die auf so eindrucksvolle Weise zeigen, dass man auch im Tod den Lebenden verbunden bleiben kann und dass dieser Welt keine einmal gelebte Liebe verloren geht. Auf dem Montparnasse habe ich – wie schon zuvor auf der anderen Seine-Seite bei der Grabstätte von Heinrich Heine – voller Staunen gesehen, dass Baudelaire, Sartre und die Beauvoir noch täglich Liebesbriefchen bekommen, die mit kleinen Steinchen beschwert auf ihre Gräber gelegt werden. Stille Post der Verehrung und tiefen Zuneigung über den Tod hinaus. Und den Eiffelturm, wo ich in jungen Jahren natürlich zuerst hingedrängt hätte, den haben wir uns gespart.

Die meisten Menschen, die Paris schon seit ihrer frühen Jugend kennen, werden jetzt vielleicht den Kopf schütteln über meine spät berufene Begeisterung. Aber ganz Paris zum Geburtstag geschenkt zu bekommen, und das noch obendrein zu einem von vielen gefürchteten, »gefährlichen« runden, das ist schon eine sehr besondere, einmalige Sache, das müssen Sie zugeben, oder? Für mich stand jedenfalls fest: Das soll ein neuer Lebensanfang sein. Ich habe mir in diesen glücklichen vier Tagen geschworen, nichts Schönes mehr für später aufzuheben. Ab jetzt würde ich, zusammen mit dem geliebten Partner, das Leben in vollen Zügen genießen, und zwar in der Gegenwart. Daran haben wir uns bis heute gehalten.

Dieses »Pariser Gelübde« in der Mühle des Alltags in die Tat umzusetzen, war und ist keine so leichte Aufgabe. Zumal für jemanden wie mich, die ich damals schon seit vielen Jahren regelmäßig mindestens acht bis zehn Tage meines Urlaubs verfallen ließ. Dabei zählte ich mich nicht »gschaftlhuberisch« zu den Unersetzlichen. Es ist vielmehr so: Mein Beruf, der Umgang mit Büchern und Autoren, ist in meinen Augen eine hochprivilegierte Angelegenheit, macht einfach unendlich viel Freude und verschafft eine tiefe Befriedigung. Wer hat denn schon das Glück, sein Hobby zum Beruf machen zu können? So kam es oft vor, dass wichtige berufliche Ereignisse in angepeilte Urlaubszeiten fielen. Und mir schienen damals – vor meinem Pariser »Erweckungserlebnis« – Treffen mit Autoren, Vorbereitungen für bestimmte Buchpräsentationen und Tourneen allemal wichtiger und vor allem interessanter, als irgendwo an einem Strand herumzuliegen. Die klassischen Urlaubszeiten kamen zudem oft auch gar nicht für mich infrage, weil da Kolleginnen und Mitarbeiter mit Kindern, die auf Zeiten der Schulferien angewiesen waren, zwangsläufig Vorrang hatten.

Es ist schon erstaunlich, wie rücksichtslos man sich selbst gegenüber ist, während man in jugendlichem Übermut vorwärts und nach »oben« strebt (was immer man sich unter »oben« vorstellt!) und darüber sich selbst – seinen Körper und seine Befindlichkeit – nicht wichtig nimmt. Diese Fehlhaltung zu ändern ist eine der wichtigsten und angenehmsten Aufgaben der reifen Lebensphasen.

Allein aufgrund meiner bisherigen Schilderungen der Bücherwelt ist wahrscheinlich auch für Laien unschwer zu erkennen, dass in Verlagen das ganze Jahr über eine hochexplosive Stimmung herrscht. Für (glückliche) Leute wie mich, die davon überzeugt sind, den schönsten Beruf der Welt ergriffen oder vielmehr geschenkt bekommen zu haben und außerdem schon von Anlage und Sternbild her mit einer gehörigen Portion Suchtpotenzial und widderhafter Kampfeslust ausgestattet sind, nicht ganz unproblematisch, was Freizeit- und Urlaubsverzicht betrifft.

Trotz aller arbeitsbedingter Verführungen und Schwierigkeiten loszulassen hatte ich zwei enorme Hilfen, mein ganz privates »Pariser Abkommen« in die Tat umzusetzen. Mein Partner, zugleich auch Kollege in der Verlagsgruppe, in der wir gemeinsam angestellt waren, wo er ein literarisches Programm verantwortete, wurde vor die Wahl gestellt, eine firmeninterne »Kröte zu schlucken« oder künftig frei zu arbeiten. Ohnedies ganz und gar kein Angestelltentyp und aufgrund seiner intellektuellen Befindlichkeit ständig im Kampf gegen den Sog des Mainstreams (der zumal in großen Häusern ja fast überall vorherrscht), fiel ihm die Wahl leicht. Und für mich begannen paradiesische Zeiten. Abends empfing mich ein fröhlicher, ausgeglichener Mensch, der tagsüber selbstbestimmt gearbeitet hatte – und jetzt eine schon immer vorhandene Neigung perfektionierte: Mein Liebster kocht wie Gott in Frankreich. Ich wurde also jeden Abend, wenn ich zerknittert, mit vollem Kopf und dem Herzen auf der Zunge über die heimische Schwelle trat, auf die luxuriöseste Weise in ein privates Paradies versetzt.

So etwas wirkt ansteckend. Bei meinen Wiener Landsleuten gibt es ein dazu passendes Heurigenlied, das beginnt so: »Zuschauen kann ich nicht ...« Ich sinnierte also darüber nach, wie auch ich zu einem größeren Stück dieser faszinierenden, neuen Lebensqualität kommen könnte. Da fiel uns mein immer zu fast einem Drittel verfallener Urlaub ein. Immerhin dreißig Arbeitstage, von denen ich, wie gesagt, mindestens zehn bisher regelmäßig verschenkt hatte. Also meldete ich zum ersten Mal in meinem Leben glatte vier zusammenhängende Wochen Urlaub an (eigentlich eine Ungeheuerlichkeit für eine so genannte Führungskraft). Wir hatten im Jahr davor ein Traumhaus in der Toskana entdeckt, das inzwischen zu unserem festen Sommerdomizil geworden ist. Hoch über einem kleinen Dorf am Hang gelegen, mit zwei Terrassen für jede Tageszeit, einem Pool, von dessen Rand wir in den Park einer Mansi-Villa hinunterschauen, wo die Pfauen schreien und ihre Räder schlagen, und die nahe Kirchturmuhr auf Augenhöhe. (Sie schlägt auch noch jede halbe und jede ganze Stunde – was bei uns in Deutschland wegen »Lärmbelästigung« ja schon längst abgestellt wurde. Können Sie sich den wunderbaren Klang in ansonsten absoluter Stille vorstellen?) Jeden Abend gibt's ein Nachtigallenduett und morgens Besuch eines grantig krächzenden Fasans, der eitel wie ein General die vordere Terrasse abschreitet und uns wütend aus seinen rot geränderten Säuferaugen anblitzt, bevor er sich in die Büsche schlägt, wenn wir auf der Bildfläche erscheinen. Dieses Haus war Liebe auf den ersten Blick. Wenn wir seither jeweils Ende Mai dort ankommen, fällt mir immer ein, dass Gott zwar in Frankreich wohnen mag, aber Urlaub macht er auf jeden Fall – genau wie wir – in Italien.

Als meine Urlaubsexzesse in der Personalabteilung des großen Verlages endlich auffielen, waren sie schon zum

Gewohnheitsrecht geworden. Eine der vier Wochen war damals für mich zum Abschalten gedacht und wir verbrachten sie noch zu Hause, dann kamen vierzehn Tage im italienischen Paradies, und zum Schluss folgte wieder eine Woche zu Hause, um den Umstellungsschock abzufedern. Inzwischen brauche ich diese Pufferzonen nicht mehr, weil ich es meinem Mann nachgetan habe: Ich bin dem Getriebe entflohen und führe ebenfalls das Leben eines »Freien« in einem selbstständigen Gewerbe. Bis dahin war es damals allerdings noch ein weiter Weg.

Seit Paris und seinen höchst erfreulichen Folgen weiß ich, dass die Faszination von Arbeit, und sei sie noch so interessant, auch eine Art Flucht sein kann. Und Ausrede für alles Mögliche. Willkommene, unbewusst gewählte Ausreden, um beispielsweise fällige Arztbesuche immer wieder zu verschieben. Ich war sogar dermaßen süchtig nach dem »Kick« der Arbeit, dass ich in meinen Endvierzigern eine Klinik schon zwei Stunden nach einem Eingriff auf eigenen Wunsch wieder verließ, obwohl ich aus medizinischen Kontrollgründen bis zum nächsten Morgen hätte bleiben sollen. Missbilligend und kopfschüttelnd ließ man mich gegen eine Unterschrift, die meine Eigenverantwortung bestätigte, ziehen. Ich marschierte schnurstracks ins Büro.

Nun bin ich tatsächlich eine – toi, toi, toi! – im doppelten Wortsinn ziemlich kräftige Bauernnatur. (Ein Freund beschrieb mich einmal etwas sarkastisch als »russische Traktorenfrau, die mit bloßen Händen die gefrorene Erde pflügt« – ich weiß heute noch nicht so recht, wie ich das finden soll …) Aber gerade dieses Arztbeispiel macht natürlich eine ganz spezielle Form von Ausrede deutlich: Arbeit lenkt davon ab, sich mit sich selbst auseinander zu setzen. Diese unbewusste Vermeidungsstrategie durchschaut man im Lauf des Älter- und Klügerwerdens: Beim Nachdenken über sich selbst könnten ja Bedürfnisse zutage treten, die Veränderungen der gewohnten und so schön eingeschliffenen Lebensgewohnheiten notwendig machen.

Als meine Freundin Carna in Amerika heiratete und ihren Honeymoon auf einer der kleinen Cayman-Inseln verbrachte, hatte ich gerade die Trennung von meinem ersten Mann hinter mir, meine eigene Firma zehn Jahre nach ihrer Gründung verlassen und bei der schon mehrfach erwähnten Verlagsgruppe als Pressechefin zu arbeiten angefangen. (Und ich hatte zehn Jahre lang keinen Urlaub mehr gemacht!) Eine ziemlich radikale Lebensumstellung, die mich aber komischerweise nicht ängstlich, sondern übermütig werden ließ. Mit Anfang vierzig einen

Neuanfang zu starten, schien mir einer weiteren kühnen Tat wert. Und außerdem war ich immer noch in diesem »Weiter-Höher-Schneller«-Alter, in dem man meint, Urlaub und Reisen seien Prestigeangelegenheiten. Getreu dem Wahn, dass wer noch nie in New York, auf Hawaii und Jamaika war, mit einem gesellschaftlichen Makel behaftet sei. Also beschloss ich, Carnas karibische Hochzeit zu nutzen, um das erste Mal in meinem Leben Europa zu verlassen. (Ein Tunesienurlaub mit zweiundzwanzig zählte in meinen Augen nicht wirklich als außereuropäischer Aufenthalt!) Ich buchte einen Flug über Miami nach Little Cayman und dort für vierzehn Tage ein Hotel.

Dass es auf dieser Winz-Insel überhaupt nur drei Hotels (und insgesamt nur etwa dreißig Häuser) gab, wurde mir erst später klar. Und dass sie alle ausschließlich von Tauchern gebucht waren, ebenso. Schon die Taxifahrt vom Flughafen in Miami zum Hotel, wo ich eine Nacht auf den Weiterflug warten musste, führte mir meinen Status als ungeübte Reisende und Provinzpomeranze recht deutlich vor Augen. Im Taxi (eine klappernde Rostlaube) auf dem Rücksitz (eine echte Sitzfalle), wirkte der Fahrer auf mich wie ein lebendig gewordenes, rastalockiges Risiko, und nachdem ich mir alle möglichen Überfall- und Todesarten ausgemalt hatte (damals gab es in den deutschen Nachrichten täglich Berichte über Touristenüberfälle), war ich mehr als erstaunt, dass ich nach einer Fahrt durch mir recht verdächtig aussehende Gegenden vor einem höchst seriös und sogar luxuriös wirkenden Hochhaushotel abgesetzt wurde. Dass – und wie sehr – es auch an meinem Englisch haperte, stellte ich am nächsten Morgen fest, als man mir statt des (mit Zuhilfenahme von Händen und Füßen) bestellten Eis im Glas ein hart gekochtes brachte, das verloren in einem großen Suppenteller herumkollerte.

Am Flughafen sah ich mich am nächsten Vormittag vor dem Gate von Cayman-Air zusammen mit lauter Anzugträgern samt Aktenköfferchen auf den letzten Abschnitt meiner Angeberabenteuerreise warten. Erst da begann es mir zu dämmern, weshalb der kaufmännische Direktor im Verlag gelacht hatte, als wir über mein Reiseziel sprachen, und mich fragte: »Wollen Sie Ihr Geld in Sicherheit bringen?« Die größte der Cayman-Inseln, Grand Cayman, ist eine Steueroase – die Köfferchen der Herren sprachen eine deutliche Sprache.

Einer der Männer – klein, glatzköpfig und mir mindestens zwanzig Lebensjahre voraus – hatte offenbar einen Narren an mir gefressen. Er verwickelte mich unerbittlich in eine von meiner Seite äußerst holprig geführte englische Konversation und war ganz entzückt über meine rot gefärbten Haare. Nach kurzer Zeit stellte sich heraus, dass er Vizepräsident von L'Oréal war und mich mit professionellem Blick als Kundin erkannt hatte. Er war offenbar wild entschlossen, dieses Verhältnis zu privatisieren. Eine gnädige Sitznummerierung im Flugzeug erlöste mich von dieser ungewollten Eroberung, und ich genoss mit staunenden Augen den Blick auf Kuba, das wir Richtung Grand Cayman überflogen.

Nach der Zwischenlandung stiegen die Köfferchenmänner aus und eine völlig andere Art Passagiere zu, offenbar Bewohner von Little Cayman, die von Einkäufen in George Town, der Hauptstadt dieser britischen Karibikinseln, kamen. Plastiktaschen und Pappkartons wurden verstaut und bald war das Flugzeug von Hühnergegacker erfüllt: Die kleinen Eierproduzenten waren offenbar nicht scharf darauf, in ihren halb zerfledderten Kartons, durch deren aufgerissene Luftlöcher sie ihre Köpfe steckten, in die Gepäcksnetze gepfercht zu werden. Als eines dieser mit Netzen bespannten Gepäckfächer während des Fluges aufsprang, sahen ein paar der Hühner ihre Stunde gekommen, denn plötzlich herrschte ein wildes Geflatter in der Maschine, was den Kapitän veranlasste, rasch die bisher offene Tür zum Cockpit zu schließen. Mich überkam bei aller karibischen Exotik und der Absurdität dieser Situation ein fast heimatliches Gefühl, denn mit Hühnern und ihrem abgründigen Wesen kenne ich mich als Landkind schließlich bestens aus.

Auf Little Cayman wurde ich vom frisch gebackenen Ehepaar abgeholt und zu meinem Hotel gebracht – wo man mich erstaunt fragte, ob mein Tauchgerät noch auf dem Flughafen sei. Ich will die Sache abkürzen. Die nächsten Tage befand ich mich mutterseelenallein im Hotel, abgesehen von gelegentlichen Besuchen meiner Freunde (die aber eigentlich flitterten und zudem ein Strandgrundstück vermessen ließen – ein offenbar höchst komplizierter Vorgang –, weil sie auf dieser gottverlassenen Insel ein Wochenendhaus bauen wollten) und dem Hotelpersonal. Wenn ich um neun Uhr aufwachte, waren die Taucher schon längst rausgefahren. Zum Frühstück – wieder mutterseelenallein – am Pool in der Vormittagssonne gab's das, was mir die Tiefseefotojäger auf dem durchwühlten Büfett übrig gelassen hatten.

Dummerweise hatte ich auch noch die absolut falschen Bücher dabei: Fontanes »Frau Jenny Treibel« (ich bin sicher der einzige Mensch, der es je in der Karibik als Urlaubslektüre dabei hatte), eine neunhundertseitige Biografie über Metternich und den Wiener Kongress sowie drei Krimis, die in Venedig spielten (das fand ich beim Einpacken wohl komisch) und so langweilig waren, dass ich sie schon an Ort und Stelle aus meinem Gedächtnis gestrichen habe.

Am Spätnachmittag fielen die Taucher lärmend wieder ein und rissen mich aus meiner dösenden Langeweile. Zum Abendessen gab es Tag für Tag Red Snapper in allen Variationen (aber meistens in Tomatensauce mit weißen Bohnen). Und am nächsten Tag alles von vorn. Die überall herumhuschenden Curlies (kleine Eidechsen mit angeberisch aufgerissenen Mäulchen und ständig aufgeringeltem Schwanz) wurden meine besten Freunde und wenn ich noch länger geblieben wäre, hätte ich sie wohl gezähmt. Aber ansonsten war es wunderschön.

Das Allerschönste aber war ein Fax aus München. Es kam von einem Kollegen, der mir erzählte, er habe gerade die Rechte an einem Buch für den Verlag erworben, das mir bestimmt gefallen werde. Und er wünsche mir wunderbare Tage. Leider konnte ich Schaf dieses Fax in diesem Moment gar nicht richtig würdigen – ich ahnte nicht, dass er derjenige sein würde, der mir knapp zehn Jahre später einmal Paris zu Füßen legen würde. (Und mich lehrt, wie man beim Reisen und im Urlaub vom jugendlichen Verbraucher zum erfahrenen Genießer wird.)

Als wir wenig später ein Paar wurden und einig darüber, dass uns der Reisesinn nicht nach China, Indien, Ägypten und schon gar nicht nach Hawaii stand (das können wir immer noch machen, wenn wir über siebzig sind), da begannen erstaunliche Erfahrungen für mich. In Europa gibt es jede Menge Städte, die wahre Sinnenlust bieten, wenn man sich nur die Zeit nimmt, sich nicht wie ein Tourist in ihnen zu bewegen. Dazu verhilft kein Fotoapparat (und um Leute, die einen bei sich haben, muss man einen großen Bogen schlagen). Wer Fotos braucht, um sich zu erinnern, wie schön es irgendwo ist oder war, hat das Wesen und die Faszination des Gesehenen nicht wirklich in sich hineingelassen.

Lissabon war der entscheidende Augenöffner für mich. Diese Stadt wird für immer und ewig in mir gespeichert sein, so intensiv, als hätte ich sogar eine Zeit lang dort gelebt. Ich muss nur die Augen schließen und »Lissabon« denken – und ich bin dort, wie hingebeamt. Im Café »da Brasileira«, Zeitung lesend beim zweiten Frühstück, direkt neben Fernando Pessoa, der da in Bronze gegossen mitten unter den Gästen sitzt. Sein wunderbares »Buch der Unruhe« haben wir im Herzen schon hierher mit (zurück)gebracht. Lissabon ist nach meinem Gefühl die einzige große europäische Metropole, die dem Touristen völlig gleichmütig begegnet, sich nicht aufspreizt und nicht prostituiert. Diese Stadt verbirgt nirgendwo, dass sie bessere und arrogantere Zeiten gesehen hat, und genau diese selbstsichere Ungeschminktheit macht ihren sensationellen Charme aus.

Ab dem fünfzigsten Geburtstag sollten wir alle ein wenig mehr Bewusstsein für diese »Haltung«, dieses So-Sein entwickeln. Ich nenne es »das Lissabon-Gefühl«.

Vor meinem inneren Auge liegt sie immer noch im milchigen Licht der frühen Nachmittagssonne da wie ein schlafender, ruhig atmender Hund. (Wann immer ich seither einen in der Sonne dösenden, schlafenden Hund sehe, muss ich sofort an Lissabon denken.) Dieses einmalige Gefühl des Mitschwingens kann jeder Mensch – individuell in jeder Stadt anders, ihrem speziellen Herzschlag entsprechend – erfahren. Allerdings nur, wenn er eine Stadt nicht wie ein Theaterstück oder einen Film »konsumieren« will, weil er meint, mit seinem Flugticket eine Eintrittskarte und die Garantie auf gute Unterhaltung gelöst zu haben. Wer reist, weil er schöne Orte und Gegenden auf der Liste »Dort war ich auch schon« abhaken will, dem nützt sogar das Beweismittel der Fotos nichts. Darum meide ich Leute, die ihre Urlaubsdias vorführen wollen. Ich fürchte, die haben nichts gespürt und nichts gesehen.

Und noch etwas fällt uns beim wirklich Erwachsenwerden nach dem fünfzigsten Geburtstag wie ein großes Geschenk in den Schoß: Wir lernen, Bilder und Gefühle miteinander zu verknüpfen. Selbst Gesehenes und selbst Erlebtes, Bilder, die durch Lektüre von Büchern im Kopf entstanden sind, Bilder aus zweiter Hand wie Filme, Gemälde, Fotos und Skulpturen, aber ebenso »gefühlte« Bilder, die durch Musik hervorgerufen werden. Das alles zusammen ergibt Innenwelten, von denen man in jungen Jahren nicht einmal zu träumen wagte. Super-Dolby-Cinemascope.

Wenn ich das Stichwort »Indian Summer« höre, sehe ich die flammend rot-gelbe Pracht der Laubbäume von New England vor mir (die ich nur aus Filmen und Büchern kenne), meine die kraftvolle Herbstsonne schier auf der Haut zu spüren und habe »Georgia on my mind« im Ohr. Und wenn ich an Billie Holiday's Version von »Moonlight in Vermont« nur denke, werde ich ganz romantisch und mir fallen all die schönen Schmachtmovies von Douglas Sirk ein. Jedes Mal, wenn ich zwei sich küssen sehe, erinnere ich mich an den Film »Cinema Paradiso«, in dem der Filmvorführer alle Kuss-Szenen aus den Filmen herausschneiden musste, weil die samstäglichen Kinovorführungen in der Kirche stattfanden und der Pfarrer auf Sitte und Anstand achtete. (Am Ende eines Lebens eine Schachtel mit Küssen – was für eine herrliche Idee!)

Jane Austens Romane rufen Gainsboroughs Gärten vor mein inneres Auge, und dann fällt mir der Hyde Park in

London ein und ich höre Billie »A foggy day in London Town« singen und sehe gleichzeitig Szenen aus »Der Elefantenmensch« oder »Doktor Jekyll und Mister Hyde« vor mir. Darüber legt sich das Bild des weihnachtlich geschmückten Kaufhauses Harrod's, von dessen üppig mit Swarovskis geschliffenen, glitzernden Steinen geschmückten Schaufenstern ich vor ein paar Jahren kaum mehr wegzubringen war. Nicht einmal die seltsamen chinesischen Gerichte, die wir anschließend – auf der anderen Seite des Hyde Park – mit einer Freundin gegessen haben (weiß gekochte Hühnerfüße!), können mir meine wunderbaren inneren Bilder und die damit verbundenen Londongefühle verderben.

Die »Route 66« habe ich nie befahren, aber wenn ich den Song nur höre, mixt der Regisseur in meinem Kopf die richtigen Bilder dazu und ganz bestimmte Gefühle. Es tauchen vertraute Gesichter auf wie das von Marlon Brando in seiner Lederjacke auf der Harley oder James Dean in voller Fahrt auf den Abgrund zu in »Denn sie wissen nicht, was sie tun«. Wenn ich nachts durch Wien gehe, höre ich die Melodie aus dem »Dritten Mann«, und wenn ich im Januar die ersten Tulpen in einer Vase arrangiere, sehe ich die großen farbigen Tulpenfelder vor mir, denke an die Grachten in Amsterdam und die Häuser mit ihren typischen Dachluken für Flaschenzüge, und Szenen aus dem fulminanten Roman »Quicksilver« von Neal Stevenson tauchen vor mir auf. Und mir fällt ein, wie gern meine Mutter zu Hause beim Radiowunschkonzert mitgesummt hat, wenn Mieke Telkamp »Wenn der Frühling kommt, dann schenk ich dir Tulpen aus Amsterdam. Tausend rote, tausend gelbe, alle sagen dir dasselbe ...« gesungen hat. Und jedes Mal wenn ich im Fernsehen oder einem Film Aufnahmen von Los Angeles sehe, höre ich die Rolling Stones den »UnderAssistent WestCoast Promotion Man« besingen, der mit Toupet und knitterfreiem Anzug an der Bushaltestelle steht, vom Broadway träumt und sich für einen scharfen Typen hält.

Sehen Sie, was für eine Flut von Gefühlen und Bildern wir in uns haben? Hollywood und seine Archive sind nichts dagegen! Alles redlich erlebt, spielerisch erarbeitet und ohne Gebühr abrufbar. Wir sind kleine Emotions-Unterhaltungs-Wundermaschinchen und jeder von uns hat ganz eigene, sehr individuelle Schätze in sich gebunkert. Man muss sie sich nur täglich bewusst machen und in die Gegenwart integrieren.

Es gibt so Tage nach dem Fünfzigsten, da neigt man zum Grübeln und zum »November-Nebeln«. Das ist nichts Schlimmes, aber es ist wichtig, diese Stimmungen richtig zu dosieren, damit sie mit einem nicht davongaloppieren. In diesen Momenten sollte man sich an sein inneres Hollywood erinnern und einen besonders schönen, selbst gedrehten Film einlegen.

Das Leben ist nämlich schön – ganz unabhängig davon, welches Geburtsdatum in unserem Pass eingetragen ist –, und wir sollten es uns von denen, die es mit Inbrunst grau in grau malen, nicht vermiesen lassen.

Kindern das Wort »bitte« und seine Bedeutung dadurch beizubringen, dass man es zum »Zauberwort« erklärt, hat mir immer schon gefallen. (Und ich wüsste für einige unserer Zeitgenossen noch ein paar Wörter, die ebenfalls in dieser pädagogischen Rubrik gut aufgehoben wären. »Guten Morgen« oder »Guten Tag« zum Beispiel.) Diese Erziehungsmethode ist jedenfalls sehr viel schöner als die Kopfnuss oder das lang gezogene Ohr, mit dem so manche Eltern noch vor fünfzig Jahren am Schliff ihrer erziehungsresistenten Gören gearbeitet haben. Mit dieser schmerzhaften, gar nicht zauberhaften Variante waren nämlich Risiken und Nebenwirkungen verbunden, an deren Folgen zahlreiche auf diese Weise zu Gutmenschen Gewordene unserer Generation teilweise heute noch in ängstlicher Angepasstheit leiden. Die Krankheit heißt: »Nicht NEIN sagen können«. Und sie ist eng verwandt mit der seelischen Gesundheitsstörung: »Nur keine unangenehmen Wahrheiten aussprechen!«

Es hat viele symbolische Kopfnüsse gebraucht und noch mehr autoaggressive, nachträgliche Zornattacken und Wutanfälle – die mich Trampelpfade in meinen Teppichboden haben treten lassen, immer hin und her tigernd wie ein Zootier an den Gitterstäben seines Käfigs entlang –, bis ich endlich so weit war. Seinen Zorn über die eigene Dummheit an sich selbst auszulassen, ist zwar bequem für diejenigen, die ein Nein verdient hätten, aber ineffektiv.

Es hat einige Jährchen gedauert, bis ich endlich gelernt habe, mit der sinnvollen Verweigerung umzugehen. Diejenigen, die wissen, wovon ich spreche, wissen auch, dass ein ultimatives »Bis hierher und nicht weiter!« eine der wichtigsten Errungenschaften ist, wenn man unnötige Negativemotionen aus seinem Leben verbannen will. Der Nutzen ist sehr viel größer als der eventuell folgende Ärger oder der befürchtete Liebesentzug, den »die Kunst des Nein-Sagens« natürlich auch manchmal mit sich bringt. Für die Persönlichkeits- und Imagebildung jedes Menschen ist sie aber ganz entscheidend und auf jeden Fall unerlässlich.

Menschen, die Nein sagen können, merkt man sich und hört genauer hin, wenn sie eine Meinung äußern. (Gutmütige Schafe zählt man zur Herde, und in der Herde nimmt man Einzelexemplare nun einmal nicht wahr. Das ist das Wesen des Pulks. Wer in der Masse verschwinden und sich unsichtbar machen will, der soll ruhig weiter zu allem Ja und Amen sagen und weiter »mit dem Haufen« rennen. So wird man beispielsweise zu »Stimmvieh«. Politiker lieben diese Art von pflegeleichten Bürgern.)

Den ersten erfolgreichen Lehrgang in dieser Richtung habe ich bei Curd Jürgens absolviert. Als sein Buch »Sechzig Jahre und kein bisschen weise« erschienen war, tingelten wir (wieder einmal) zwei Wochen durch Deutschland: Interviews, Signierstunden und wieder Interviews – die volle Palette der Buchpromotion, die zu erlernen ich inzwischen mit Hildegard Knef, Lilli Palmer, Muhammad Ali und anderen reichlich Gelegenheit gehabt hatte. Dachte ich zumindest.

Die Signierstunden waren nicht alle gleich erfolgreich.

Manchmal riss die Menschenschlange derjenigen, die sich ein Buch des »normannischen Kleiderschranks« gekauft hatten und nun signieren lassen wollten, bereits nach einer halben Stunde ab. Dann gab es zwar oft noch telefonische Vorbestellungen, aber wenn diese Stapel mit den Namenszettelchen (»Für Willibald« oder »Für Grete in Erinnerung an den ›Schinderhannes‹«) abgearbeitet waren, musste ich auf der Hut sein. Dem berühmten Autor sollte unter keinen Umständen auffallen, dass das Interesse an seinem Werk nicht überall so groß war, wie alle Beteiligten es erhofften. (Das war auch durchaus in meinem Interesse, weil es logischerweise angenehmer ist, mit einem gut gelaunten Autor zu reisen und vor die Interviewpartner zu treten, als mit einem knatschigen, der nicht gut drauf ist.)

Aber noch wichtiger war für den Verlag, der ja im Moment (im Gegensatz zu mir) nicht direkt mit dem Autor konfrontiert war, dass die Buchhändler die bei der Signierstunde nicht verkauften Exemplare auf keinen Fall wieder an den Verlag zurückgaben: Für einen Verkaufsleiter ist nur ein verkauftes Buch ein gutes Buch – selbst wenn das nichtverkaufte von Goethe wäre. Also musste ich die Buchhändler mit aller mir zur Verfügung stehenden Raffinesse dazu bringen, sämtliche vorhandenen Bücher von Curd Jürgens signieren zu lassen. Denn signierte Bücher konnten – zumindest damals – nur sehr schwer wieder an den Verlag zurückgeschickt werden. In diese verzwickte Situation kam ich auf dieser Reise ein paar Mal und musste daher ebendiesen »Plan B« zum Einsatz bringen. Einerseits sollte der Autor nicht merken, dass wir »trieksten und täuschten«, und anderseits hatte ich den Widerstand der Buchhändlerkollegen zu überwinden, die natürlich ganz genau wussten, was hinter meiner Animation (»Jetzt signieren wir die restlichen Stapel doch auch gleich noch, die brauchen Sie doch bestimmt fürs Weihnachtsgeschäft!«) in Wahrheit steckte.

Die Verlagsrechnung ging meistens auf, denn kein Buchhändler wollte vor den Augen des prominenten Autors eine peinliche Diskussion über dessen mangelnde Anziehungskraft vom Zaun brechen. Zudem war es vielen auch ein bisschen unangenehm, dass die Kunden ausgerechnet in ihrer Stadt desinteressierter waren als anderswo, wo doch überall in der Presse und im Fernsehen darüber berichtet wurde, was für ein Super-Bestseller das Buch war.

Jeden Abend fragte mich mein Star im Hotel, ob ich beziehungsweise der Verlag mit den Verkäufen des Tages zufrieden sei, was ich ihm stets eifrig mit meinem ganzen diplomatischen Charme versicherte. Ich glaube, es war in Düsseldorf, wo er mich am späten Ende eines (nicht ganz ideal verlaufenen) Tages mit folgender Reaktion schockte: »Sie sind noch sehr jung und müssen noch viel lernen. Vor allem, dass man gerade in Ihrem Beruf die Pflicht hat, auch Unangenehmes auszusprechen. Ich habe sehr wohl bemerkt, dass heute ein unverhältnismäßig großer Bücherstapel liegen blieb. Ein PR-Begleiter in den USA hätte mir das unverhohlen gesagt. Das sollten Sie sich auch angewöhnen. Erstens will ich wissen, was läuft, und zweitens müssen Sie lernen, mit möglichen daraus resultierenden Launen von Leuten wie mir zu leben!«

Mein Kopf hatte sich bei dieser Rede dem Farbton der Bloody Mary angepasst, die wir beide gerade in der Hotelbar serviert bekommen hatten. Und ich hatte damit eine der wichtigsten Regeln auch meines Berufs erfahren (und leider versäumt, sie schon damals eins zu eins auch in mein Privatleben zu übertragen).

Zu allem Übel gab es dann noch einen ähnlich gelagerten Zwischenfall, der mich erröten ließ, wenn auch erst im Nachhinein. Einen oder zwei Tage später in Dortmund war Curd Jürgens nach einem langen, anstrengenden Arbeitstag das ewig gleich schmeckende Essen in den Hotelrestaurants leid, und es stand ihm der Sinn nach kräftiger Hausmannskost. Der Hotelportier empfahl uns ein gutbürgerliches Gasthaus und bestellte für uns dort einen Tisch. Der Wirt stand schon nervös am Eingang und hielt nach dem Weltstar Ausschau, als wir dort nach einem kleinen Abendspaziergang ankamen. Er empfing den prominenten Gast aufgeregt und diente uns das Beste an, was Küche und Keller hergaben. Letzteres war verhängnisvoll. Es handelte sich um ein »ganz besonderes Tröpfchen« – die völlig verstaubte Flasche und ein total vergilbtes Etikett dienten als Beweis –, »das auf einen so besonderen Gast und Weinkenner gewartet hat, wie Sie es sind, lieber Herr Jürgens«.

Der so Angesprochene beäugte das schwer lesbare Etikett, wechselte mit dem Wirt ein paar Sätze, die für mich nach reinstem Fachchinesisch klangen, und wandte sich dann mit der Frage an mich, ob ich denn fände, dass wir uns diesen edlen Tropfen heute verdient hätten? Gelehrige Schülerin, die ich war, verwandelte ich das eigentlich aufgrund der vor kurzem gemachten Erfahrungen fällige »Nein« in ein »Eigentlich nicht, aber so genau müssen wir's vielleicht nicht nehmen«.

Nun, das besondere Tröpfchen war sauer wie Essig – was auch dem beim Trinken schmallippig gewordenen »Weinkenner« nicht verborgen, aber von ihm trotzig unkommentiert blieb – und schlug auf der Rechnung mit annähernd achthundert D-Mark zu Buche.

Ich fiel vor Entsetzen schier in Ohnmacht. Das war weitaus mehr als meine damalige private Monatsmiete! Außerdem hatte ich bis dato noch nie davon gehört, dass es Weine in dieser Preisklasse überhaupt gibt, wenngleich ich natürlich längst wusste, dass der Mensch von Welt in der Regel weder »Kremser Sandgrube« noch »Kröver Nacktarsch« trinkt.

Ich zog mit zitternden Fingern die Scheine aus meiner prall gefüllten Börse und dachte ängstlich daran, wie ich diese horrend hohe Rechnung meiner Chefin erklären sollte. Gesellte sich diese Ausgabe doch zu einigen weiteren – wenn auch im Verhältnis dazu verschwindend niedrigen – Sonderposten, die im Verlag ebenfalls mit hochgezogenen Brauen zur Kenntnis genommen werden würden: Curd Jürgens reiste mit allerkleinstem Gepäck – er hatte lediglich einen Kinderseesack dabei, was in den Hotels zu einigen Wäscherechnungen (für seine berühmten Hemden mit den Mao-Stehkragen, die nur er damals trug) führte. Weil in dem kleinen Seesack offenbar nur ein Ersatzhemd und der Rasierapparat Platz fanden, musste ich auf dieser Reise ein paar Mal Unterhosen für ihn kaufen, die er dann jeweils wohl mangels Platz einfach im Hotel zurückließ! (Für manch ein Zimmermädchen mag das damals ein Souvenir der besonderen Art gewesen sein. Ein Slip von Curd Jürgens – was würde man heutzutage aus so einem Fund alles machen, medial und monetär!)

Diese Intimeinkäufe waren mir von Anfang an sauer aufgestoßen, und in Dortmund sah ich dann insbesondere nach dem essigsauren Weinexzess die Stunde meiner Rache gekommen. Ich besorgte eine gelbe mit grünen Punkten vom Wühltisch der Kaufhalle. Was er später im Auto bei der Weiterfahrt schmal lächelnd mit dem nur scheinbar kryptischen Satz kommentierte: »Sie haben ja doch etwas Kratzbürstiges. Vielleicht werden Sie doch noch lernen, Nein zu sagen.«

(Ja, lieber Curd Jürgens, der du's da oben hoffentlich gut hast – ich habe es gelernt. Und vielen Dank auch für die hilfreiche Unterstützung!)

Schon in paar Jahre vor der Curd-Jürgens-Reise hätte ich einmal Gelegenheit gehabt, Mut zu beweisen und nicht zum sklavisch-feigen Befehlsempfänger zu werden. (Ich hätte nur sagen müssen: »Nein, meine Suppe ess ich nicht!«) James-Michener-Fans erinnern sich vielleicht an seinen Hippie-Roman »Die Kinder von Torremolinos«. Um die Buchhändler für dieses Buch freundlich zu stimmen (und zu hohen Einkaufszahlen zu animieren), hatte sich der Verleger für achtzig von ihnen eine von ihm finanzierte Reise an den Ort der Romanhandlung ausgedacht. (Eine sehr ungewöhnliche und teure Promotion, die beim ersten Versuch allerdings gründlich ins Wasser fiel, weil die Charterfirma, deren Flugzeug uns alle nach Spanien transportieren sollte, Pleite ging und ausgerechnet unser Flieger beschlagnahmt wurde. Achtzig Personen vom Flughafen in Frankfurt/Main in ihre Heimatorte kreuz und quer verstreut in Westdeutschland, Österreich und der Schweiz zurückzutransportieren – da lernt man das Handwerk des Krisenmanagements!)

An dieser Reise auf Micheners Spuren nahmen nicht nur Sortimentskollegen, sondern auch ein paar Journalisten teil, die der Verleger am zweiten Tag zu einem ganz besonderen Mittagessen einlud. Es ging um Glasaale, die es angeblich nur in Malaga und nur in einem ganz bestimmten Zeitraum des Jahres gab, und den hatten wir sozusagen punktgenau getroffen. Mein weit gereister Chef schwärmte in höchsten Tönen von dieser regionalen Spezialität, die so köstlich sei, dass er ihretwegen schon mehrmals privat nach Spanien geflogen sei. Also versammelten wir uns, gestärkt durch einen Begrüßungssherry, zu zehnt um einen runden Restauranttisch und harrten der Wunderdinge, die da kommen sollten.

Mir war von vornherein schlecht, weil ich schon seit meiner Kindheit eine tiefe Abscheu vor allen Fischgerichten hatte und mich vor dem Verzehr der Aale, ob durchsichtig oder nicht, fürchtete. (Dass ich damals prinzipiell keinen Fisch gegessen, ja mich davor geekelt habe, hatte einen Grund: Meine Mutter zwang mich als Kind, Fischstäbchen zu essen, und als ich mich weigerte, nahm sie mich auf den Schoß und schritt zur Zwangsfütterung. Was zur Folge hatte, dass ich die ganze Ladung anschließend quer über den Tisch zurücklieferte. Und bis in meine Vierziger hinein keinen Fisch und keine Meeresfrucht mehr anrührte. Von einer Wiederholung dieser Szene war ich gerade nicht allzu weit entfernt.)

Nach einer recht langen Wartezeit kam ein Kellner, stellte eine Riesenschüssel in der Mitte des Tisches ab und verschwand wieder. Darin zappelten eine Unmenge durchsichtiger, kleiner Aale, und ich bemerkte, dass bei ihrem Anblick noch ein paar Leute am Tisch grün um die Nase wurden. (Erinnern Sie sich an das Märchen »Von einem, der auszog, das Fürchten zu lernen«? Nicht Tod und nicht Teufel haben es ihn gelehrt, aber als er am Schluss mit einem Eimer voller lebender, zappelnder Fische überschüttet wurde, da hatte er erfahren, was es bedeutet, wenn man sich gruselt. So ähnlich ging es mir damals. Nur mit dem Unterschied, dass ich dieses Gewimmel gleich schlucken sollte!)

Mein Hals wurde immer enger. Ich konnte meine Augen nicht von der Schüssel lassen. Es vergingen fünf Minuten, es vergingen zehn, kein Bedienungspersonal ließ sich blicken. Wir sprachen alle kräftig dem Wein zu, zum einen aus Ermangelung anderer Möglichkeiten und zum anderen, um uns Mut zu machen. Schließlich schien dem Verleger der Geduldsfaden zu reißen, und er bestimmte: »So, jetzt sollten wir aber anfangen!«

Er ging mit gutem Beispiel voran und schöpfte sich mit einer bereitliegenden kleinen Kelle eine ordentliche Portion der in ihrem Überlebenskampf inzwischen schon etwas ermatteten Tierchen auf seinen Teller. Wir anderen taten es ihm bangen Herzens nach. Irgendwann ließ sich auch für mich nichts mehr hinauszögern, wenn ich nicht auffallen wollte, und ich führte die Gabel – so wie die anderen – tapfer zum Munde.

In diesem Moment stürzten zwei Kellner gestikulierend in den Raum und schrien etwas, das sich wie »stopp, stopp« anhörte, was mir Gelegenheit bot, den Biestern einen kräftigen Schluck Rotwein hinterherzuschicken. Die beiden schnappten sich unsere aalgefüllten Teller und kippten den Inhalt in die Schüssel zurück. Dann schob einer mit Kochmütze auf dem Kopf einen Servierwagen mit kleinen Rechauds herein, auf deren Aufsetzer heißes Öl dampfte. Die regionale Aalspezialität musste also erst frittiert werden. Ein Seufzer der Erleichterung ging durch die Runde.

Der gastgebende Urheber des Missverständnisses murmelte etwas wie »Ist schon ein paar Jahre her, dass ich zuletzt hier war« in den nicht vorhandenen Bart.

Ich denke, diese Gruselgeschichte bedarf keiner weiteren Erläuterung. Und – ich gestehe es frank und frei – der

Zugang zur Jahre später aufkommenden Sushi-Esskultur ist mir aufgrund dieses Erlebnisses leider versperrt geblieben.

Es ist ein großes Privileg, gelernt zu haben, was man will und was nicht. Wie oft haben Sie schon private Einladungen angenommen und hätten sich schon Sekunden danach dafür ohrfeigen können? Auf dem Kalender steht er dann, dieser Termin, und dreht einem die ganze Woche oder womöglich noch länger eine höhnische Nase. Schon alle Abende davor sind verdorben, weil man ständig an die eigene Unfähigkeit erinnert wird, nicht rechtzeitig eine höfliche Ausrede erfunden zu haben. Eine solche Verabredung hat ja außerdem Folgen. Oft zieht man seinen Partner mit in die programmierte Unlust hinein und hat dann alle Hände voll zu tun, ihn davon zu überzeugen, dass geteiltes Leid nur halbes Leid sei. Und was bringt man denn mit? Niemand hat die Suche nach einem Gastgeschenk für eine ungewollte Einladung je besser nachgespielt wie Gerhard Polt und Gisela Schneeberger. Im schlimmsten Fall kommt die hässliche Vase – wie in diesem Sketch – wieder zu ihrem verdrossenen Urheber zurück.

Apropos Unlust. Nun will ich doch noch die größte Blamage meiner »Lehrzeit« eingestehen. Sie hat mit Manfred Köhnlechner zu tun, der nach seiner Karriere als Bertelsmann-Manager der bekannteste Heilpraktiker der Nation geworden war. (Er war der erste wirklich überregional bekannte Heilpraktiker der Bundesrepublik und war für die Schulmediziner geradezu ein rotes Tuch!) Er wurde von seinen Patienten verehrt wie ein Heiliger, seine Bücher verkauften sich wie geschnitten Brot und seine Vorträge füllten die größten Säle. Auch ihn habe ich auf seiner Tour oft begleitet (mit zahlreichen, unverhofften Patientenberührungen, worauf ich lieber nicht näher eingehe, denn das würde fast ein eigenes Buch füllen). Der Tag allerdings, an dem Köhnlechner selbst zum Patienten wurde und der dazu angetan war, meinen Ruf zu ruinieren, von dem will ich berichten:

Ein Köhnlechner-Vortrag in Nürnberg – ausverkauft, wie alle seine Veranstaltungen. Als wir den Zug im Nürnberger Hauptbahnhof verließen, knickte der Autor ein und konnte sich – von einem Hexenschuss der Marke mitten ins Schwarze getroffen – kaum mehr aufrichten. Humpelnd und vor Schmerz stöhnend, erreichte er auf mich gestützt den Taxistand, wo ich ihn mit Hilfe des Fahrers verstaute. Am Veranstaltungsort erwartete uns eine aufgeregte Buchhändlerin, denn der Vortrag war nicht nur ausverkauft, sondern auch diejenigen, die keine Karte mehr bekommen hatten, wollten nicht weichen und drängten mit Gewalt in den Saal. Also wurde kurz entschlossen eine Lautsprecheranlage besorgt, um die Worte des Vielbegehrten nach draußen zu übertragen.

Aus Krankheitsgründen abzusagen, war aufgrund dieser Lage schwierig. In der Künstlergarderobe, in der Manfred Köhnlechner inzwischen eine halbwegs erträgliche Sitzstellung gefunden hatte, beratschlagten wir beide, wie es weitergehen sollte. Meinen naiven Vorschlag, einen Arzt zu holen und sich eine Spritze geben zu lassen, lehnte er natürlich ab. Das wäre ein gefundenes Fressen für die Presse und die Ärzteschaft gewesen (es gab, wie gesagt, ständig Ärger von beiden Seiten noch und noch). Also schrieb er als Arzneimittelkundiger den Namen einer Salbe auf einen Zettel, und ich bat die Buchhändlerin darum, jemanden zur nächstgelegenen Apotheke zu schicken. Über den Zusatzauftrag, auch noch ein Katzenfell zu erwerben, war ich empört, was den gemarterten Autor wohl zusätzlich zu seinen Schmerzen ärgerte.

Als »ganzer Mann« liebte er es gar nicht, sich so geschwächt zeigen zu müssen, weshalb er sein Leiden der Buchhändlerin gegenüber herunterspielte und anfügte, er wolle vor dem Vortrag noch ein bisschen allein sein, um sich zu konzentrieren. Nur ich sollte bei ihm bleiben, falls er etwas benötigte. Dann kamen Salbe und Fell. Ich wusste nicht so recht, wie mir geschah, auf jeden Fall wurde ich zur Krankenschwester umfunktioniert. Köhnlechner ließ – im Sitzen – die Hosen herunter und ich forderte mich auf, die Salbe kräftig einzumassieren.

Während ich (mit hochrotem Kopf!) an seinem verlängerten Rücken zugange war, ging nach kurzem Klopfen die Tür auf. Die Veranstalterin sah uns – aus ihrer Sicht in einer höchst verfänglichen Situation –, erstarrte, fuhr mit einem entgeisterten »Verzeihung!« zurück und schlug die Tür zu. Hochnotpeinlich ist ein schwacher Ausdruck dafür, wie mir zumute war. Was sollte ich tun? Ich konnte der Gastgeberin ja schlecht hinterherlaufen und sagen: »Was Sie jetzt vielleicht denken, das ist ein Irrtum!« Zumal ich ja gar nicht genau wusste, was sie sich wohl gedacht haben mochte.

Der Vortrag verlief glatt, niemand merkte, dass Manfred Köhnlechner leicht schief stand und seine Position hinter dem Podium um keinen Millimeter veränderte. Und auch nicht, dass sein Hosenbund spannte, weil ein Katzenfell um seine verlängerte Mitte gebunden war. Beim Nachhausefahren tranken wir uns im Zug – aus sehr verschiedenen Gründen – mit einem schlechten Rotwein einen Schwips an, und ich hoffte, nicht so schnell wieder in Nürnberg zu tun zu bekommen.

Was ich heute anders machen würde? Die Unterhosen für Curd Jürgens wären gar kein Problem, zumindest wäre es mir heute nicht mehr peinlich. Die würde ich entweder lachend besorgen, weil es ja auch komisch ist und der Mensch sowieso nie genug erzählenswerte Geschichten erleben kann. Zudem kann mir bei allem, was ich schon erlebt habe, dadurch auch kein Zacken aus der Krone fallen. Oder ich würde, wenn ich gerade nicht ganz so gut und locker drauf wäre, die Hausdame des Hotels oder den Hotelportier damit beauftragen.

Die Sache mit dem sündteuren Wein würde mir keinesfalls mehr unterlaufen, vielmehr würde ich dem Autor eine Rechnung aufmachen. Wenn man davon ausgeht, dass ein Autor (dieser Prominenz, alle anderen bekommen im Regelfall weniger) vom Ladenpreis eines Buches zehn Prozent erhält, und der Verlag ebenfalls (aber heutzutage realistisch gerechnet eher sogar sehr viel weniger), müssten zweihundert Bücher mehr verkauft werden, damit sich ein so kurzes Vergnügen rechnet. An dem Tag in Dortmund wurden definitiv keine zweihundert Bücher verkauft. Ich würde also möglichst humorvoll sagen, dass wir uns die teure Ausschweifung nach einem solchen Nullrundentag tatsächlich nicht verdient hätten. (Ich habe mich manchmal gefragt, warum der prominente »Weinkenner« damals nicht gegen diesen Sauerampfer protestiert hat. Konnte er vielleicht an bestimmten Stellen auch nicht Nein sagen? War er sich seiner Weinkennerschaft nicht sicher und wollte sich vor dem Gastwirt nicht blamieren? So etwas Ähnliches muss es wohl gewesen sein.)

Das spanische Fischabenteuer hätte mich nur amüsiert, weil ich längst nicht mehr esse, was ich nicht essen will, und kein Problem damit habe, diese Tatsache höflich formuliert zum Ausdruck zu bringen. Vom halb nackten Po eines mir Fremden ließe ich die Finger beziehungsweise selbigen vom Apotheker salben, der die Arznei verkauft hat und den ich gegen Bezahlung um Hilfe bäte. Ich bin sicher, er würde sie nicht verweigern.

So einfach ist das, wenn man gelernt hat, Nein zu sagen. Wer es bis zu seinem fünfzigsten Geburtstag noch nicht kann, sollte schnellstens mit dem Üben beginnen. Denn die aus den Folgen dieser Unfähigkeit erwachsenden Ärgernisse fressen Lebenszeit und -qualität. Nein zu sagen, hat im Übrigen (meistens) nichts mit Egoismus zu tun. Schon in der Bibel heißt es doch »Liebe deinen nächsten wie dich selbst« – und nicht »mehr als dich selbst«. Oft geht es ja auch nicht um »Liebesdienste« der geschilderten Art, sondern um Zusagen, die etwas mit »Zeit« zu tun haben (für wirkliche Liebesdienste sollten wir uns die Zeit allerdings schon nehmen). »Kannst du mir das nicht schnell mal machen?« Hört sich nach Kleinigkeit an, und man will halt nicht so sein. Und schon steckt man in der Falle. Während der clevere Arbeitsabschieber im Biergarten sitzt, quält man sich mit seinen Problemen herum. Nur um gut dazustehen.

Woher kommt das eigentlich, dass so viele Menschen in jüngeren Jahren zur Willfährigkeit neigen und es ihnen so wichtig ist, was andere von ihnen denken? Der Satz »Der oder die ist wirklich nett!« macht mich heute – aus guten Erfahrungsgründen – eher etwas misstrauisch. Was ich meine, lässt sich in einem kürzlich erschienenen, sehr guten Buch nachlesen. Es heißt: »Everybody's Darling – ist everybody's Depp!«. Der Charme des Älterwerdens liegt auch darin, dass man zwischen Ausgenütztwerden und Selberwollen gut unterscheiden kann.

Es ist schon so – nur aus Erfahrung wird man klug. Ich habe gelernt, dass selbst im Biergarten zu sitzen die viel angenehmere Variante des Lebens ist. Irgendwie logisch, oder? Komisch, dass man manchmal so lang braucht, um draufzukommen.

Es muss nicht immer Kaviar sein

Wer abends ewig nicht aus dem Büro kommt, keinen kochenden, guten Geist zu Hause hat und es sich auch nicht leisten kann, andauernd essen zu gehen, wird schnell zum Stammkunden bei McDonald's oder der Tiefkühltheke in der Tankstelle. Ich seh mich noch heute um zehn Uhr abends hungrig wie ein Wolf auf den Parkplatz kurven und den nächtlichen Großeinkauf tätigen. Schon im Auto, während des Fahrens Richtung Schlafburg, machte ich mich über die doppelte Portion Pommes her, die ich zusammen mit einer Schachtel Big Mäc und einer zweiten, mit Cheeseburger gefüllten, gekauft hatte. Fettflecken auf den Klamotten inklusive. Bis ich endlich zu Hause war, hingen die restlichen Burger feucht, bräsig und lauwarm in ihren Behältern, passend zu meinem eigenen Zustand. Denn Laune und Lebenslust steigen bei so einem Anblick nicht in den Himmel, selbst wenn man ein Fan von Matschfood ist. (Ich liebe schon seit meiner Kindheit alles, was ich nicht groß beißen muss. Psychologen wissen interessante Sachen über diese Vorliebe zu sagen. Aber das gehört Gott sei Dank nicht hierher!) Und auch das »Käseüberbackene« aus der Mikrowelle – egal ob es nun auf der Außenhülle als Cannelloni oder Spaghetti Bolognese angepriesen wurde – machte nie einen sonderlich belebenden Eindruck auf mich Überstundenjunkie.

»Fertig-Schmeck« hat Gerhard Polt dieses seelenlose Futter genannt. Ich würde es durch zwei Worte ergänzen: »Ich-habe-Fertig-Schmeck«. Dieses Essen aus dem Trog ist ein typisches Ernährungsverhalten gestresster Singles.

(Nur gut, dass ich lediglich zwei Jahre auf diese Weise vegetiert habe, wer weiß, vielleicht wäre ich sonst zur Ronaldine McDonald mutiert!)

Heute denke ich mit Schaudern an diese Fütterungsart zurück, die ein wenig an Massentierhaltung erinnert (obwohl wir sie uns ganz im Gegensatz zum bedauernswerten Vieh freiwillig antun). Wobei ich gar nichts gegen die Burgerstationen sagen will, denn nur ab und an genossen ist dieser weiche Schwamp gar nicht so übel – Currywurst ist ja auch nicht gerade ein Gourmettraum. Bei einem Einkaufsmarathon in der Stadt ist beides ein erlaubter Pausenfüller, finde ich.

An meiner Wiege hat man mir allerdings eine andere Speisekarte gesungen. Bei uns zu Hause wurde bäuerlich und entsprechend deftig gekocht, obwohl die ganze Familie längst in der Stadt lebte. Immer noch abgestimmt auf körperlich hart arbeitende Vorfahren. Mein Körper und meine Zunge sind offenbar entsprechend genetisch programmiert, Ersterer hat allerdings bei der Verwertungsorganisation auf stur geschaltet und nicht zur Kenntnis genommen, dass es mit harter körperlicher Arbeit nichts geworden ist. Denn ich habe frühzeitig entdeckt, dass Kopfarbeit bei weitem nicht so schweißtreibend ist wie andere, und – um die Sachlage zu verschärfen – mir auch noch die Parole zu eigen gemacht, dass Sport Mord ist. Allein beim Lesen der Gerichtenamen Wiener Schnitzel, Backhendl, Kalbsrahmbraten mit Spätzle, Zürcher Geschnetzeltes, Paprikaschnitzel, Serviettenknödel, Kaiserschmarrn mit Zwetschkenkompott und ähnlicher Küchenbestseller läuft mir das Wasser im Mund zusammen, und ein Orchester in meinem Inneren spielt in großer Besetzung »Granada«.

Als ich mit zwanzig auszog, um meine österreichische Heimat zu verlassen – die seit Hunderten von Jahren von böhmischen Köchinnen regiert wird –, sagte mein Großvater mit Tränen in den Augen: »Wer soll denn jetzt alle unsere Restl aufessen? Wir müssen uns wohl ein Schwein anschaffen!« Das war der liebevolle Ausdruck einer wirklich großen Abschiedstrauer, denn in unserer gar nicht so kleinen Familie war das Ritual des gemeinsamen Essens Ausdruck von Zusammengehörigkeit und ganz groß geschrieben.

Wer als »Landkind« in die große Stadt verschlagen wird und es dort plötzlich mit »feinen Leuten« zu tun bekommt, hat wirklich ein gehöriges Lernprogramm zu absolvieren. Alle, die einen ähnlichen Weg hinter sich haben, werden wissen, wovon ich rede. Gut, dass man aufgelegtes Besteck bei den verschiedenen Gängen von außen nach innen gehend benutzt, das wusste ich schon, wir waren ja daheim auch keine Barbaren. (Die vielen Gläser auf einem gedeckten Restauranttisch waren da anfangs schon verwirrender für mich.) Aber der Mensch lernt schnell, noch dazu auf einem so angenehmen Terrain, wie es Essen und Trinken nun mal sind. Ein ausführlicher Blick in reichlich vorhandene Aufklärungsliteratur half mir zudem schnell auf die Sprünge. Dass man bei der Weinbestellung mit Sancerre und Chablis nie ganz falsch liegt, hatte ich schnell drauf, und auch, dass ich mich bei der Night-Cup-Order mit Whisky Sour, Gin Fizz, Bloody Mary, Planter's Punch oder White Lady zwar als äußerst konservativ outete, aber zumindest nicht blamierte.

Ernsthafte Probleme machten mir Spaghetti. Die hat es bei uns nie gegeben. Dass man sie unter gar keinen Umständen klein schneiden darf, habe ich schnell herausgefunden. Aber die Nummer, wie man »dem Frosch die Locken dreht«, musste ich tatsächlich ziemlich lange üben.

Als ich das erste Mal mit einer Schneckenzange vor den kleinen, heißen Häuschen saß und nicht recht wusste, wie ich die sperrigen Dinger in die Zange klemmen sollte, um mit dem Gabelspieß an das knoblauchölige Innere zu gelangen, stellte ich mich ziemlich ungeschickt an, und mir war gar nicht wohl bei der Sache. (Was, wenn mir ein Schneckenhaus versehentlich aus der Zange sprang und über den Tisch hinweg auf die Krawatte meines Chefs katapultiert würde? Ein Alptraum.) Der Hummer und seine hermetische Scherenkonstruktion stellte mich anfangs gänzlich vor ein Rätsel. Und auf Austern habe ich mich erst nach einem »Speziallehrgang« eingelassen.

Damit kein Missverständnis aufkommt: All diese Dinge sozusagen »privat« zu essen, wäre mir damals nie in den Sinn gekommen. Vor diese Speiseabenteuer stellte mich mein Beruf. Und das meiste von diesen luxuriösen Kinkerlitzchen schmeckte mir nicht einmal. Hummer zum Beispiel kann ich auch heute noch nicht viel abgewinnen, denn ohne die richtigen Geschmacksgeber in Form von Saucen oder Tunken entwickelt das arme, bei lebendigem Leibe rot gekochte Tier für meinen Geschmack nicht allzu viele Gaumenreize. Kaviar war und ist für mich eine Speise, die als solche gar keine ist, sondern lediglich Ausdruck einer ganz bestimmten, faszinierend erotischen Stimmung. Ohne Kerzenschein, ohne Champagner, ohne eine bestimmte Musik, ohne ein bestimmtes Ambiente und ohne einen bestimmten Anlass ist er in meinen Augen ein überflüssiges, teures (zugegeben: interessant säuerlich schmeckendes) Nichts.

Als eine der größten Errungenschaften des Älterwerdens empfinde ich übrigens, dass man all diese sündteuren Luxusesswaren (für Spesenritter) als das erkennt, was sie sind: Ausdruck einer Überflussgesellschaft und nicht immer identisch mit wahrer Genießerschaft. Kaviar, Champagner und ähnliche Kostbarkeiten (das sind sie nämlich und das sollte man nie vergessen und daher umso sorgsamer damit umgehen) sollten nicht – wie so oft heutzutage – dafür benutzt werden, um seinen eigenen Status in der Gesellschaft zu erhöhen. Mit Hilfe dieser teuren Luxusgüter mehr scheinen zu wollen, als wirklich zu sein, ist eine recht armselige Haltung. Das lernt man mit der Zeit. Für uns, die wir teilweise durch die fetten Jahre gegangen sind, die jetzt – zumindest für diejenigen, die nicht selbst zahlen, sondern Spesenetats zu verwalten haben – angeblich vorbei sind, ist wahres Genießen nämlich längst wieder zum Lernprogramm geworden.

Irgendwann vor ein paar Jahren sind uns in Italien Tomaten in die Hände gefallen, die diesen wunderbaren, ganz besonderen herb-strengen Tomatengeruch an sich hatten, den wir alle seit unserer Kindheit nicht mehr gerochen haben. Oder wenn doch, dann nur mehr ganz leicht an den Blättern oder Stielen, aber längst nicht mehr an der Frucht. Falls auch Ihnen einmal ein solcher Glücksfall widerfahren sollte: unbedingt Kerne sicherstellen und selbst Tomatenpflanzen ziehen. Auf diese Weise ist das Geschmackswunder wiederholbar. Allein das Aufziehen des Pflänzchens schüttet Glückshormone aus – von der späteren Ernte nicht zu reden. Der erste Gang jeden Morgen ist der zu der Glasvitrine auf der Fensterbank, um zu sehen, wie es den Pflanzenbabys geht, und der letzte Blick des Nachts gilt ebenfalls den Winzlingen, die einige Wochen später – längst in den Garten entlassen – die großen roten Früchte tragen sollen. Der Tag des Aussetzens im Garten (das geht natürlich auch auf dem Balkon) wurde regelrecht gefeiert, und es regnete gute Wachstumswünsche auf das Pflänzchen herab. Dieses Aufziehen, mit Stöckchen abstützen und auf das Blühen warten ist ein beeindruckender Vorgang, und ich habe an diesem Prozess bemerkt, welch »schöpferische« und tief befriedigende Arbeit das Gärtnern ist.

Auf diese Idee wäre ich in jüngeren Jahren nie gekommen. Da wurde ich immer nur zum Unkrautjäten eingesetzt, und das war langweilig. Die erste Tomatenernte ist ein wahres Fest und der erste Tomatensalat aus Selbstgezogenen eine kaum zu übertreffende Köstlichkeit. (Und wir konnten endlich das allerallerbeste Marmeladerezept der Welt zur Anwendung bringen. Ich habe es von meinem Großonkel aus Amerika, und man braucht dazu grüne Tomaten, die man ja nicht kaufen kann. Man nimmt zur Hälfte reife Zwetschken und zur Hälfte grüne Tomaten und ein bisschen weniger Zucker als üblich. Aus dieser Mischung entsteht beim Einkochen ein unvergleichliches Aroma, denn die grünen Tomaten nehmen den Zwetschken die Säure und bringen dadurch deren ureigentlichen Geschmack auf sensationelle Art und Weise zur Geltung. Diese Marmelade zubereitet zu haben und essen zu können, vermittelt einem das Gefühl, etwas ganz Großes geschaffen zu haben. Probieren Sie es aus!)

Bei Empfängen und sonstigen Edel-Zusammenkünften werden oft die köstlichsten »Schweinereien« gereicht. Ausgefallene Finger-Food-Küche ist ja heute ganz groß in Mode. Auch unter psychologischen Aspekten, denn sie wirkt so lässig, unaufwendig und cool, quasi eine Nebenbei-Verköstigung. Angesichts der Pflaumen im lauwarmen Speckmantel, der gebackenen Camembertkugeln mit Preiselbeerhäubchen, der Lachsforellenfilettaler mit Meerrettichmousse und Lachstatar auf Maiskuchen habe ich mich schon oft nach so etwas Einfachem, aber äußerst Rarem wie einem Butterbrot mit Schnittlauch gesehnt.

Als Kind durfte ich mich auf die Butterkiste meiner Großmutter setzen, während sie die Sahne rührte. Ich habe das anfängliche Plätschern in der Kiste noch im Ohr und auch das veränderte Geräusch, wenn der Rahm immer fester wurde. Sobald es anfing, unter mir zu rumpeln, durfte ich herunter von der Kiste (auf die ich gesetzt worden war, damit der Deckel beim Rühren schön fest saß und nichts vom kostbaren Inhalt verspritzt wurde), und Großmutter holte die schönen, gelben Butterstücke heraus, formte sie mit einem Messer auf dem Butterteller zu einer Halbkugel. Das Wasser perlte noch von dieser frischen Butter ab, und wenn ich Glück hatte, war kurz vorher das selbst gebackene Brot aus dem Ofen gezogen worden. Frisch geschlagene Butter auf ofenwarmem Brot – was für ein Genuss! Heute schwer zu kriegen, aber einen leisen Nachhall dieser Erinnerung kann man durchaus ergattern. Das Brot aus Brotbackmaschinen schmeckt hervorragend, wenn man alles richtig macht, und an guter Butter herrscht in Europa auch kein Mangel!)

Meine höchst umfangreiche Kochbuchsammlung war schon im Haus, bevor mir mein angetrauter Superkoch den Weg zu McDonald's ersparte und die Küche zu seinem alleinigen Reich ausrief. Diese wunderbaren Bücher vergleiche ich immer mit Märchenbüchern. Sie regen die Phantasie aller Sinne an und wenn ich darin blättere, was ich noch immer manchmal tue, dann steigen Düfte aus den Buchseiten auf und Farben und Geschmackserinnerungen und wunderbar entspannte Szenarien:

Wann haben wir eigentlich zuletzt gemeinsam Weihnachtsplätzchen gebacken? Diese Düfte nach Vanille, Schokolade, Marzipan, Orangen, geriebenen Nüssen und Rum, die dabei durch das Haus ziehen, während man das Chaos von Schüsseln, Töpfen, Backpapier und Blechen in der Küche rund um das Backrohr in den Griff zu kriegen versucht. Wenn es draußen nebelt, nieselt oder schneit und José Felicianos unverwechselbare Stimme Weihnachtslieder durch die Wohnung schmeicheln lässt? Dieses emotionale Vollbad muss wieder her, denn – nein, das ist gar nicht sentimental – das gehört zu einem guten Leben.

Man muss wahrscheinlich fünfzig werden, um nicht nur darüber zu reden – man müsste, man sollte –, sondern es endlich mal wieder wirklich zu tun. Großmütter und Mütter sind entzückt über die Telefonate, die sich ergeben, wenn man nach dem Familienrezept der Vanillekipferl, den Blätterteigschnittchen mit der tollen hellen Glasur oder den Schachbrettkeksen fragt, die es nur bei Oma gab.

Als mir irgendjemand empfahl, gegen meine Sehschwäche Heidelbeeren zu essen, wurde ich ganz wehmütig. Die tiefgekühlten, die wir sofort besorgten, hatten nach dem Auftauen nicht die geringste Geschmacksverwandtschaft mit den selbst gepflückten aus meiner Kindheit, und die frischen, beeindruckend großen vom Markt waren innen weiß, das stelle man sich einmal vor! Heidelbeeren werden inzwischen also wahrscheinlich irgendwo gezüchtet so wie Lachse (beides: nein danke!) und die blaue Farbe, die man als Kind so schwer von Fingern, Lippen und Zähnen bekam, die hat man dabei gleich wegkomplimentiert. Warum also nicht einmal an einem Sommerwochenende nachsehen, was aus den alten Heidelbeergründen der Kindertage geworden ist? Wo es so still war, so geheimnisvoll raschelte, der sonnenbeschienene Waldboden nach trockenen Tannennadeln und Ameisen und Pilzen roch, während am Himmel ein Flugzeug lautlos einen Kondensstreifen zog. Ganz so wie damals wird es wahrscheinlich nicht mehr sein, aber die Stille wird es noch geben und den Waldgeruch auch. Den Kondensstreifen sowieso, der war aber schon damals nicht das Ausschlaggebende.

Himbeer-, Brombeer- und Walderdbeerausflüge sind keine sentimentalen Unternehmungen, sondern Meditationen, die eigentlich klar machen, dass es da draußen eine Welt gibt, die ganz ohne Computer, Internet und wichtigtuerischen, selbst gemachten Stress auskommt. Sie ist einfach da, riecht gut, schmeckt gut und macht deutlich, dass man ein Teil von ihr ist, wenn man es nur will. Und das Erstaunliche ist, dass in dieser Stimmung Ideen und Einfälle im Hinterkopf auftauchen, die man während einer normalen Arbeitswoche niemals hätte.

Für unsere regelmäßigen Venedigbesuche haben wir viele Jahre immer unsere Bonusmeilen abgeflogen, bis uns ein englischer Picknickkorb in einem Schaufenster auf eine andere Idee brachte. Warum nicht einmal mit dem Zug hinfahren? Mit einem Picknick im Gepäck. Einer guten Flasche Rotwein (oder zwei), Rotweingläsern, einer ordentlichen Anzahl Tunfisch-Mayo- und Geflügelsandwiches, Mineralwasser und ein bisschen Obst.

Solche Spontanideen sollten schnell in die Tat umgesetzt werden, sonst schiebt man den Wunsch zusammen mit einem Berg von guten, aber nicht umgesetzten Vorsätzen vor sich her: Der Zug fuhr mit uns zwei Wochen später um elf Uhr in München los, mit Halt in jedem größeren Dorf zwischen Rosenheim und Innsbruck, dem Brenner und Verona. Über all diese kleinen Städtchen düst das Flugzeug, das wir bisher immer bevorzugt hatten, völlig uninteressiert hinweg, so als gäbe es sie gar nicht. Aber die Zeit verflog auch im Zug und schon abends um sieben Uhr betraten wir das Vaporetto vor dem Bahnhof Santa Lucia und wurden fast direkt vor die Haustür unseres Hotels gefahren.

Auch diese besondere Art der Picknickfahrt nach Venedig wäre mir vor ein paar Jahren einfach nicht in den Sinn gekommen. Das reduzierte, selbstgenießerische Tempo hätte in meinen Augen in zu krassem Widerspruch zum sonstigen Alltagstempo gestanden und wäre einer Vollbremsung gleichgekommen. Ich bin mir auch nicht ganz sicher, ob man sich den Luxus derartiger Einfachheiten überhaupt vornehmen kann. (Ganz ehrlich – vor ein paar Jahren hätte ich es vielleicht sogar noch spießig gefunden.) Vielmehr glaube ich, dass es äußere Anstöße geben muss, die auf innere Sehnsüchte treffen (so wie den prächtigen schottisch karierten, mit Silbergeschirr gegürteten englischen Super-Picknick-Korb im Schaufenster, den nur Leute kaufen würden, die einen Rolls-Royce fahren). Dann macht es Pling! und man macht sich selbst ein unvermutetes Geschenk. Mit den flachen Schuhen, die man plötzlich trägt, ohne sich groß Gedanken gemacht zu haben, dass man die »Fallhöhe« gewechselt hat, ist es ja genauso. (Die kommen einem in Venedig übrigens auch sehr zupass!)

Solch unerwartete und ungeplante Erlebnisse und so plötzlich auftauchende Wünsche lassen bei ein wenig Nachdenklichkeit ganz klar erkennen, dass wir alle in der Hektik des Alltags während der Jagd nach Anerkennung und Erfolg verlernt haben, wirklich zu genießen. Die meisten von uns konsumieren die angenehmen Dinge des Lebens lediglich, aber mit Genießen hat das wenig zu tun. Das zu erkennen und die daraus folgende Notwendigkeit, Genuss wieder von Grund auf zu lernen, ist meines Erachtens eines der ganz großen Geschenke des Älterwerdens.

Es wäre jedoch ein großer Irrtum zu glauben, dies sei leicht und einfach. Die Feier des fünfzigsten Geburtstags ist ja kein Stichtag, ab dem unser Alltagsumfeld plötzlich beschließt, Tempo wegzunehmen und weniger Ansprüche an uns zu stellen. Im schlimmsten Fall tritt das Gegenteil ein, und manch einer fühlt sich jetzt beobachtet oder gar auf dem Leistungsprüfstand. Oft ist der Druck sogar selbst verursacht: Man schraubt die Ansprüche an sich selbst nach dem – hoffentlich kurzen – Moment des Erstaunens über die ungewohnte neue Bedeutung der Zahl fünf eher noch höher, um sich und allen anderen zu beweisen, dass sich nichts verändert hat. Manch einer von uns verschärft den Stress und das Lebenstempo sogar noch. Wer in diese Falle geht, der ist verloren. Man muss in der letzten Phase der noch jungen Jahre – also jetzt! – lernen, dass man niemals von sich selbst absehen sollte. Das ist, wie gesagt, nicht ganz einfach, aber man kann sich daran schnell gewöhnen.

Es sind jede Menge Überstunden aufgelaufen, die ohnedies längst nicht mehr bezahlt werden? Weshalb in diesem Fall nicht konsequent sein und den Arbeitstag einmal ganz offiziell verkürzen? Wann haben Sie in aller Ruhe den letzten gelassenen Schaufensterbummel gemacht? Wann zuletzt in einem Straßencafé gesessen und die Vorübergehenden beobachtet? Im Sonnenschein zu sitzen und in Ruhe die Zeitung zu lesen, gibt einem das Gefühl, zu den Glücklichen und Zufriedenen zu gehören. (Und das Gefühl trügt nicht, glauben Sie mir!) Nur zwei Stunden – Sie werden sich wundern, wie sehr das die Lebensgeister in Schwung bringt und in welch gute Laune es Sie versetzt.

Wann sind Sie zuletzt beim Friseur gewesen, um sich eine neue, vielleicht sogar etwas gewagte Frisur machen zu lassen?

Und warum gehen Sie nicht mal in die Galerie hinein, vor deren Schaufenster Sie sich immer die Nase platt drücken? Niemand zwingt Sie, deshalb gleich etwas zu kaufen. Was halten Sie von einer ausgiebigen Stöber- und Schmökerrunde in einer Buchhandlung? Sie werden feststellen – da gibt es sehr viel mehr als das, was der Hype des Literaturbetriebs Ihnen aufschwätzen will. Auch ein ausgiebiger Erkundungsgang durch eine Parfümerie ist empfehlenswert, denn es schadet keinesfalls, auch der Nase mal wieder ein bisschen Luxus zu schnuppern zu geben. All diese scheinbar banalen Alltagsgenüsse liegen direkt vor uns, wir müssen sie nur erspähen und in die Tat umsetzen, bevor wir im Roboterdasein erstarren und unsere allerbesten Jahre vergeuden.

Mir ist das alles eines Nachmittags klar geworden, als ich von einem geschäftlichen Termin kommend über den Münchner Viktualienmarkt lief, um zu einem Taxistand zu gelangen. Da fiel mir ein, dass ich seit mindestens einem Jahr nicht mehr da gewesen war. Dabei ist dieser Markt viel mehr als ein teures Einkaufseldorado. Er ist ein Stück Kultur unserer Stadt, eine Augenweide, ein Genuss für alle Sinne. Ich beschloss spontan, eine Pause zu machen, das Büro Büro sein zu lassen und mich für eine halbe Stunde an einem der Biertische niederzulassen und den Leuten beim Einkaufen und Verkaufen zuzuschauen. Weißwürste gab es zwar nicht mehr (es war ja schon nach dem Zwölfuhrläuten, da nehmen es die Münchner trotz der Erfindung des Kühlschranks noch immer recht genau mit der Tradition), aber Nürnberger Rostbratwürstchen mit Sauerkraut waren mir ein ebenso willkommener, weil ebenfalls seltener Genuss. Da saß ich nun, am helllichten Nachmittag, und genoss mein »verbotenes Tun«. (Ja, Sie lesen recht – ich hatte das Gefühl, etwas Verbotenes zu tun, ein Eindringling in einem Paradies zu sein, das nicht für mich bestimmt war. Ist das nicht schlimm, wie weit man sich vom wirklichen Leben entfernen kann?)

Bald sah ich, dass ich in guter Gesellschaft war. An meinem Tisch unterhielten sich zwei Männer über einen Töpfermarkt in Niederbayern, der am kommenden Wochenende stattfinden würde, und da fiel mir ein, dass wir eigentlich schon lange ein Gefäß für unseren Oleander auf der Terrasse suchten. Ein Ehepaar setzte sich zu uns und freute sich über eine Trüffelsalami, die sie gerade am italienischen Wurststand entdeckt und gekauft hatten (das würde ich anschließend auch machen, dann hätte ich für den Abend eine Überraschung mit nach Hause zu bringen), und dass der Stand, der frisch gepresste Fruchtsäfte anbot, inzwischen fünfundzwanzig verschiedene Sorten bereithielt.

Die Kellnerin fragte mich, ob ich noch ein Weißbier haben wollte, und ich bejahte, weil ich meinen »Freigang« auf keinen Fall schon beenden wollte. Der Liesl-Karlstadt-Brunnen plätscherte friedlich vor sich hin, meine Sitznachbarn waren in ihrem Gespräch inzwischen bei einem oberbayrischen Bauern angelangt, der alte, fast vergessene Getreidesorten anbaute, und gerieten dabei in einen heftigen Diskurs über die Verarbeitung von Dinkel. Die Sonne schien uns allen auf den Rücken, und es war kaum vorstellbar, dass gleichzeitig andere in Büros saßen und Mahnbescheide oder Ähnliches in irgendwelche Computer hämmerten, Texte für die Abendnachrichten verfassten und sich in Redaktionen über die Schlagzeilen der morgigen Zeitung die Köpfe heiß redeten.

Mich erfasste eine Zufriedenheit, wie ich sie schon lange nicht mehr gespürt hatte, und ich fing an, mich an das Beobachten und Zuschauen zu gewöhnen: Menschen jeden Alters suchten und fanden an den Ständen, was sie sich vorgenommen hatten oder wovon sie sich angezogen fühlten. Da wurden Blumen gekauft und Töpfchen mit Küchenkräutern beschnuppert, in die Hand genommen, wieder hingestellt und gegen andere ausgetauscht, verschiedene Gemüse ausgewählt, handverlesen, Honigmelonen einer Duftprobe unterzogen, Kräuterbüschel verhandelt, Käse verkostet und Wurstsorten probiert, es wurde der Kopf geschüttelt oder freudig genickt, man beugte sich über Steigen mit Weinflaschen, diskutierte, verhandelte, wurde sich einig oder spazierte weiter. Ich konnte nicht verstehen, was sie alle im Einzelnen so sagten, dazu saß ich zu weit weg – aber über dem ganzen Markt lag eine Art Summen wie vor einem Bienenhaus.

Damit man mich bei dieser Schilderung nicht missversteht – es ging mir beim Zuschauen nicht ums Essen oder Auch-haben-Wollen. Nein – es war einfach schön, wieder einmal zu sehen, dass sich das Leben nicht nur von neun bis neunzehn Uhr zwischen Papieren, eingesperrt in kleinen Büroräumen mit dem Telefonhörer am Ohr und den Fingern auf den Computertasten abspielt, sondern unter blauem Himmel und scheinbar frei über Zeit verfügend.

Arbeiten wir nicht alle eigentlich dafür? Für unseren Lebensunterhalt, natürlich. Aber eben nicht nur für den Unterhalt und das Überleben, sondern auch für das *Leben* an sich. Das ist mir an diesem Tag auf dem Viktualienmarkt klar geworden. Ich habe noch die Trüffelsalami gekauft, einen wunderbar weichen Rohmilchcamembert, ein krustig gebackenes Kartoffelbrot und einen Bund Radieschen, bevor ich mich wieder auf in den Kampf machte, sprich: in meinen Alltag begab.

Eine wichtige Erkenntnis habe ich mitgenommen: Nur nicht blindwütig in Arbeitsgewohnheiten versinken. Gelegentlich wieder nach links und nach rechts schauen.

Wer damit erst nach dem sechzigsten Geburtstag, kurz vor der Rente oder Pensionierung beginnt, verschenkt zehn schöne Jahre. Jahre voller wunderbarer Momente und Möglichkeiten. Wie ist es denn mit all den Dingen, die Sie immer schon mal tun wollten, aber immer wieder verschieben? Wollten Sie nicht einen Kochkurs im Elsass machen? Tango tanzen lernen? Eine Einkaufsgemeinschaft für die Versorgung mit Bio-Bauern-Produkten organisieren? Bei Ihrer Gemeinde nachfragen, wie man eine Patenschaft für ein russisches Provinzdorf übernehmen kann? Einen Spanischlehrer für eine kleine Gruppe von fünf Leuten suchen? Zur Weinlese in die Steiermark fahren und im Frühjahr zur Baumblüte in die Wachau? Das klingt nach viel Arbeit. Aber es ist Arbeit, die Sie für sich und Ihre Freunde erledigen. Ich weiß natürlich, dass all diese schönen Dinge von vielen Menschen tatsächlich getan werden – aber eben nicht von denen, die sich in der Stressmühle und in den Hamsterlaufrädern befinden. Für die muss ab sofort das Motto gelten: Ich hol mich hier raus – ich bin ein Mensch und will kein Zombie werden.

Denken Sie daran, wenn Sie Ihren privaten oder beruflichen Terminkalender oder Ihre Überstundenstatistik mal wieder betrachten. Weniger ist oft mehr. Und da draußen, vor dem Haupteingang, da wartet eine ganze Welt auf uns.

Menschen, die von sich sagen können, sie seien mit ihrem Partner seit zwanzig, dreißig oder noch mehr Jahren verheiratet, sind rar geworden. Meistens hört und sieht man so etwas in Talkshows, und diese Paare – die für solche Sendungen von den Redaktionen oft mühsam gesucht werden – stammen vorwiegend aus unserer Elterngeneration. In der eigenen Umgebung von uns Fünfzigjährigen kommen lang andauernde Beziehungen inzwischen schon sehr viel seltener vor. Die meisten haben mindestens eine Scheidung hinter sich, leben in neuen Partnerschaften oder – mehr oder weniger freiwillig – allein.

Wenn junge Leute heute heiraten, wird in den ersten Stuhlreihen im Standesamt oder in den vorderen Kirchenbänken auch bei weitem nicht mehr so viel geschluchzt, als das beispielsweise noch zu Zeiten meiner (ersten) Hochzeit der Fall war. Viele der heutigen Hochzeitsgäste wissen einfach aus Erfahrung, dass es sich nicht zwingend um etwas wirklich Dauerndes handeln muss, weshalb mit den tiefen Emotionen etwas sparsamer umgegangen wird. Und bestimmt bekommen Bräute von ihren Müttern keine Kerzen mehr geschenkt, auf denen steht »Und wenn du meinst, es geht nicht mehr, kommt von irgendwo ein Lichtlein her«. Die meine habe ich heute noch als Andenken, und es gab viele Situationen in meiner ersten, knapp zwanzig Jahre währenden Ehe, wo ich heulend davorsaß und so laut schluchzte wie meine Mutter damals in der Kirchenbank hinter mir, als ich vor dem Altar stand, ganz in Weiß, mit einem Blumenstrauß …

Dass dem Glücklichen keine Stunde schlägt und jedem Menschen die große Liebe seines Lebens jederzeit und in jedem Alter begegnen kann, daran denkt man mit einundzwanzig Jahren – noch dazu vor dem Traualtar – natürlich nicht, weil man ja überzeugt ist, all das schon fest in der Hand zu haben.

Das zu glauben, gibt es – übrigens bis heute – viele Gründe. Genau wie damals will man mit Hilfe des auserwählten Partners immer noch weg von zu Hause, hinaus in die große weite Welt. Abenteuer erleben, Spaß haben, Karriere machen, Geld verdienen – auf jeden Fall weg von der elterlichen Fuchtel, um selbstbestimmt zu leben. Dass wir Jungen sofort – kaum wurde uns der »Segen« dazu erteilt – angefangen haben, das Leben unserer Eltern zu kopieren, fiel den meisten von uns erst später auf.

Viele unserer Generation, vor allem diejenigen, die nicht studiert haben und nicht mit studentischer Aufmüpfigkeit in Berührung gekommen sind, haben die viel besprochenen und viel gescholtenen 68er Revolten mit demselben Unverständnis und derselben spießigen Ablehnung betrachtet wie unsere Eltern. Das hat sich gerächt. Wer die Songs der Beatles und der Rolling Stones zwar gehört hat (so wie die Eltern zu ihrer Zeit Zarah-Leander-Lieder oder »Die Blume von Hawaii«), aber keine Schlüsse fürs Leben daraus gezogen und deren Aufbruchstimmung nicht in sein Herz und seinen Verstand hineingelassen hat, der »hat den Schuss nicht gehört«. Und einfach weitergemacht wie die »Alten«. (Ja, ja, so haben wir sie damals genannt. Und »Trau keinem über dreißig«. Also keinen Aufstand machen, wenn jetzt wir als die »Alten« bezeichnet werden. Auch wenn wir Golden Agers von heute in vieler Beziehung gut und gern als die älteren Geschwister unserer eigenen Kinder durchgehen könnten. Wann hat es so viel Jugendlichkeit und Fitness jemals in irgendeiner Generation vorher gegeben?)

Nachdem der Kredit für die Wohnungseinrichtung abbezahlt und auch die erste Freude darüber verklungen war, dass man zu jeder Zeit in den eigenen vier Wänden Sex haben konnte, ohne sich irgendwo in dunklen Ecken oder auf Autorücksitzen herumdrücken zu müssen, wurde schon etwas klarer, dass das doch wohl nicht alles und sicher nicht das neue Leben sein konnte, das man sich seit Teenagertagen erträumt hatte. Irgendeine Ratenzahlung löste immer die andere ab und verhinderte jedes Vergnügen außerhalb der Reihe, irgendein sonntäglicher Autoausflug führte immer an einen Gasthaus- oder Kaffeehaustisch, wo von den fremden Leuten die gleichen Gespräche geführt wurden, die uns schon vor zehn Jahren zum Gähnen brachten. Urlaube mussten billig sein (wegen der Ratenzahlung fürs Auto) und führten natürlich auf den Zeltplatz nach Jesolo oder an den Gardasee –

genau dorthin, wo wir schon als Kinder von den »Alten« hingeschleppt worden waren.

Nur einmal schlugen wir über die Stränge und flogen mit Neckermann nach Tunesien. Wo der Strand nichts taugte, wir also den ganzen Tag am Pool verbrachten, der morgens mit dicken Chlorbrocken aufgepeppt wurde, so dass sich meine blond gefärbten Haare nach zwei Tagen in einer chemischen Reaktion grasgrün verfärbten. Die anderen Gäste waren anscheinend seelenverwandt mit denen, auf die wir schon ständig auf den Sonntagsausflügen gestoßen waren und die sich nach dem Genuss von Schwarzwälder Kirschtorte und Kaffee (»Im Garten gibt es nur Kännchen!«) bei der Rückfahrt mit uns im Stau befanden. (Was hatte ich eigentlich erwartet, frage ich mich heute – wir waren ja ebenfalls da!) Nun stauten wir uns wieder, diesmal am Pool und im Speisesaal bei der Couscous-Ausgabe. Oder beim Trott durch den Souk, Trauben von Kindern im Schlepptau, die uns zu Teppichhändlern und Silberschmieden lotsen wollten, während wir verzweifelt eine Toilette suchten, weil wir gegen den Rat aller Erfahrenen Säfte aus »trüben Quellen« getrunken hatten. Ich kam mir vor wie ein Marsweibchen – die Farbe der Haare drückte das ja auch unmissverständlich aus.

Herausragende Ereignisse in diesem Urlaub waren rote Ameisen, denen mein Ehemann in verzweifelter Langeweile täglich ihre Laufroute neben unserem Pool-Liegeplatz verbaute, indem er sie immer wieder in andere Richtungen umlenkte, und die Information eines Einheimischen, der zu erzählen wusste, dass ich mit meinen Rundungen in Tunesien im Falle eines Verkaufes drei Kamele wert wäre, was – wie auf neugieriges Nachfragen meines Mannes zu erfahren war – angeblich dem Gegenwert eines Mercedes der S-Klasse entsprach.

Jedenfalls war mir nach zwei, drei Ehejahren (immerhin, so lange hat die Erkenntnis auf sich warten lassen!) ziemlich klar, dass ich dieses Leben so nicht wollte. Und ich stürzte mich voller Elan in meinen wunderbaren Beruf. Ich fieberte dem Morgen entgegen, wo ich wieder ins Büro durfte, und verließ es am Abend nur ungern. Und dann war ich eines Tages plötzlich gezwungen, eine erste, wirklich »erwachsene« Entscheidung zu treffen: Ich war schwanger. Und wusste mit einer Klarheit, die mich in ihrer Kompromisslosigkeit fast selbst erschreckte, dass ich definitiv kein Kind haben wollte. Das signalisierte mir mein Körper, der mir nicht nur eine morgendliche, sondern eine ständige Übelkeit bescherte, und das sagten mir auch mein Herz und meine Seele. Dass ich auf der Welt war, hat das Leben meiner Mutter in Bahnen gelenkt, die sie sich so ursprünglich nicht unbedingt gewünscht haben dürfte – warum also sehenden Auges ebenso handeln? Ich spürte ganz deutlich: kein Kind, nicht jetzt und mit großer Wahrscheinlichkeit auch später nicht.

Damals wurde mir zum ersten Mal bewusst, was meine Altersgenossinnen und -genossen, die sich in der 68er Bewegung engagiert hatten, für uns alle mühsam erkämpft haben. Die gesellschaftlichen Um- und Tabubrüche, die sie herbeigeführt und durchgefochten haben, sind es nämlich unter anderem, die uns Fünfzigern und den uns Nachfolgenden heute ein so überaus gutes, von althergebrachten Zwängen befreites Leben möglich machen. Ich hatte keine Gelegenheit, bei diesen Demonstrationen und Diskussionen gegen verzopften Mief und geistige Enge direkt mitzumachen – was mir heute noch Leid tut –, aber ich bin eine Nutznießerin der Ergebnisse und werde dafür immer dankbar sein.

Das heutige Geschimpfe auf den aktiven Teil dieser Generation, die so genannten Alt-68er (gerade von denen, die so wie ich nicht dabei waren, aber Trittbrett gefahren sind und jeden Tag immer noch fahren!) und der damit verbundene psychologische Unverstand machen mich regelmäßig wütend. Das, was sie wollten und für die ganze Gesellschaft erreicht haben, wird doch nicht dadurch weniger wert, weil sich viele von ihnen heute so ähnlich verhalten wie die, die sie damals angegriffen haben. Warum sollen sie nicht Anwaltskanzleien und Arztpraxen haben oder Außenminister geworden sein? Warum dürfen sie es nicht zu Wohlstand gebracht haben, und warum sollen sie nicht in vieler Hinsicht heute, in Bezug auf gegenwärtige Zustände, wieder ebenso »vernagelt« sein dürfen wie ihre Altersgenossen, also so mancher von uns auch? Dadurch machen sie zumindest theoretisch doch lediglich Platz für neue Revolutionen. (Die werden allerdings heutzutage nicht mehr von unten gemacht, sondern von oben. Und so sehen sie auch aus – jede Revolte nutzt denen, die sie machen.) Hätten sie ewig mit langen Bärten in ihren Studentenbuden und Kommunen hocken bleiben sollen?

Ich bewunderte – und tue es immer noch – die Frauen, die sich in der großen STERN-Aktion »Ich habe abgetrieben« öffentlich zu ihrem Entschluss bekannten, und bin der Zeitschrift ELTERN heute noch dankbar für ihren Artikel über englische Abtreibungskliniken – mit Adressen.

Die Entscheidung war also getroffen: Im Mittelpunkt meines Lebens würde mein Beruf stehen. Aber es gab natürlich immer noch Sonn- und Feiertage, die dieses junge Ehepaar, das wir waren, gemeinsam gestalten musste. Da bot sich über den Reiseschriftsteller Hans Otto Meissner die Gelegenheit, eine Almhütte in den Tiroler Bergen zu pachten, die allerdings stark renoviert werden musste. Wir schleppten mit Feuereifer Steine, bauten einen offenen Kamin, mauerten eine Terrasse, beschafften Holzschindeln für das traditionelle Dach, verschalten Stuben mit Holzpaneelen, zimmerten Stockbetten. Jeden Freitagabend während der Sommermonate (von Ende Oktober bis Ende April lag meterhoch Schnee und der Forstweg, der zur Alm führte, war nicht mehr befahrbar) wurde das Auto voll gepackt und es ging ab in die Berge, am Sonntag gegen fünf wieder zurück (übrigens wieder im

Stau auf der Autobahn, vereint mit den Sonntagsausflüglern).

Irgendwann war dann alles getan – es gab nichts mehr zu reparieren und zu bauen. Alle Touren waren wir schon x-mal gegangen, und jede Kuh kannten wir bis zum Almabtrieb bereits mit Namen. Das war schön, wurde aber zumindest mir auch bald wieder zu eintönig. Wir begannen, die Wochenenden getrennt zu verbringen. Bis meine Eltern in Salzburg ein wunderbares altes, unter Denkmalschutz stehendes Bauernhaus für uns fanden, das das ganze Jahr hindurch – also auch im Winter – erreichbar war. Und dann begann alles wieder von vorn.

Als auch hier alles wieder eingerichtet, umgebaut und repariert war, fuhr ich am Wochenende nach Salzburg und er nach Tirol. Wir haben viel Geld in diese Domizile gesteckt, die uns nicht gehörten, sondern lediglich gepachtet waren (ein finanzieller Unsinn, den man auch nur in jungen Jahren fertig bringt). Und schließlich konnte sich keiner von uns beiden mehr etwas vormachen. Wir hingen zwar nach so langer Zeit aneinander, hatten aber wenig, was uns wirklich im tiefen Inneren verband, wenn wir uns keine ablenkenden Beschäftigungstherapien mehr verpassen konnten. Wir waren unversehens ein »altes Ehepaar« geworden – und das mit Ende dreißig. (Das ist auch heute noch der Fluch der frühen Ehen! Wie soll man mit zwanzig wissen, was man wirklich will, wenn man doch noch gar nicht erfahren hat, wer und was man selbst ist?) Wir begannen, uns gelegentlich nach anderen Sexualpartnern umzusehen, und das ist, wie die Lebenserfahrung immer wieder gezeigt hat, der Anfang vom Ende.

So eine endgültige Trennung ist eine höchst schmerzvolle Erfahrung, das wissen alle, die es einmal (oder vielleicht sogar bereits mehrfach) durchgemacht haben. Das Gefühl, in einer sehr wichtigen, vielleicht sogar existenziellen Lebensaufgabe versagt zu haben, ist eines, an dem fast alle Menschen noch über lange Zeit hinweg schwer zu beißen haben.

Was ich mir für mein Leben mit einem Partner gewünscht hätte, habe ich damals in einer langen, sehr nachdenklichen, teilweise verheulten Nacht vor dem Kaminfeuer aufgeschrieben (und war mir sicher, dass es ein Wunschtraum bleiben würde):

Mit dir möchte ich

• barfuß bei Sonnenuntergang am Meeresstrand spazieren gehen, den noch warmen Sand unter den nackten Füßen spüren, während von irgendwoher leise Musik zu hören ist (am liebsten »Loveletters in the Sand«)

• mittags auf einer Waldlichtung Himbeeren pflücken,

während die Bienen summen, es nach Waldboden riecht und nichts zu hören ist als das Knacken von Zweigen

- eine große, blauweiß gekachelte Küche haben, mit einem riesigen Refektoriumstisch, auf dem an einem Ende Bücher und Manuskripte ihren Platz haben, während wir am anderen Ende Gemüse putzen, Hasen spicken, Äpfel schälen, Rotwein trinken und dabei Boccherini hören
- in Harry's Bar in Venedig alle Drinks ausprobieren, die Hemingway dort getrunken hat
- bei strahlendem Sonnenschein in einem Cabriolet die kurvenreichsten Passstraßen der Schweizer Alpen befahren
- einen Rosengarten planen: Rosenbücher wälzen, aus Stifters »Nachsommer« vorgelesen bekommen, die schönsten Sorten auswählen und beim Züchter mit einem Kleinlaster abholen
- während der Arbeitszeit schwänzen und in der ersten Nachmittagsvorstellung im Kino zum zwanzigsten Mal »Casablanca« sehen – zu zweit allein
- im aufsteigenden Morgennebel an einem Oktobertag Pilze suchen an geheimen Plätzen
- nach einer grandiosen Blues-Session in einem überfüllten, verrauchten Jazzkeller in der Morgendämmerung ein Frühstückscafé suchen
- mich im dichtesten Nebel von Soho verlaufen, während du mir die Geschichte von Jack the Ripper erzählst
- Zwetschken, Äpfel, Aprikosen, Birnen und Pfirsiche

einkaufen, die dazu passenden Schnäpse besorgen und tolle, »geistreiche« Marmeladen kochen

- vor dem Feuer eines offenen Kamins liegen, während wir uns wechselweise aus unseren Lieblingsbüchern vorlesen
- in einer warmen Sommernacht am Swimmingpool eines toskanischen Landhauses Songs von Elvis Presley, Dean Martin, Pat Boone, den Beatles und den Stones hören
- unsere Bibliotheken vereinen, den eigentlichen Anlass vergessen, sich in den Büchern festlesen und darüber streiten, welche bleiben und welche aussortiert werden sollen.

Heute, über fünfzehn Jahre später, ist alles, was ich damals aufgeschrieben habe, wahr geworden – das meiste davon nach meinem fünfzigsten Geburtstag und bis auf ein paar unwesentliche Kleinigkeiten: Die Sache mit dem Cabrio hat sich in den italienischen Alpen zugetragen und unsere Rosen haben wir nicht im Kleinlaster, sondern im eigenen Pkw abgeholt.

Warum ich das alles erzähle? Weil ich weiß, dass eine der größten Ängste vor dem Älterwerden die ist, an Attraktivität zu verlieren und damit für das andere Geschlecht uninteressant zu werden. Eine Angst, die vorwiegend uns Frauen heimsucht. Weil wir immer wieder vergessen, dass Attraktivität im Auge des Betrachters liegt und außerdem keine Einbahnstraße und keine Oberflächenangelegenheit ist. Manch eine geistig agile Achtzigjährige hat ein schöneres, lebendigeres Gesicht, strahlendere Augen und ein anziehenderes Wesen als eine verkniffene, verbiesterte Dreißigjährige.

Wirklich guter Sex – das kann man spätestens in den Fünfzigern erfahren – beginnt immer im Herzen und vor allem im Kopf, bevor er sich in die Tat umwandelt. Nach einer heißen, interessanten Diskussion ist er am besten. Das »Fleisch« ist dann nur mehr lustvolles Werkzeug der Köpfe. Ich glaube, wir alle tragen seelische Sender und Empfänger in uns und irgendwann (und wenn wir achtzig Jahre alt wären – alles schon da gewesen!) treffen die zwei Menschen aufeinander, die auf der gleichen Wellenlänge senden und empfangen. Seelenverwandte sozusagen.

Da gibt es die wunderschöne Geschichte aus Platos »Gastmahl«, die von den Menschen der frühen Zeit handelt. Sie erzählt, dass wir Menschen damals noch Kugeln mit vier Armen und vier Beinen waren. Und so übermütig und mächtig, dass wir sogar die Götter auf dem Olymp ärgern konnten. Bis denen das freche, herausfordernde Treiben der auf der Erde herumwuselnden Kugelmenschen irgendwann zu dumm wurde und Zeus sie alle in der Mitte auseinander hieb. Seitdem irren wir halbierten Menschenwesen mit unseren zwei Armen und zwei Beinen auf der Welt umher und suchen unsere fehlende Hälfte. So weit Platos Geschichte. Ich folgere daraus: Da wir inzwischen schon so viele geworden sind, ist das Durcheinander der Halbierten groß und daher dauert die Suche und das Finden oft sehr lange.

Der Vorgang des Suchens und Findens birgt übrigens das größte Geheimnis der Partnerschaft. In jungen Jahren ist man ständig auf der Suche nach dem Mann (oder der Frau) des Lebens, der großen, endgültigen, unvergänglichen Liebe. In seiner Unerfahrenheit wird dem jungen Menschen nicht bewusst, dass eigentlich immer ein Zweck mit dieser Sehnsucht und der daraus folgenden Suche verbunden ist – die Lösung eines Problems. Von zu Hause wegzukommen, nicht mehr allein zu sein, weil man mit sich selbst nichts anzufangen weiß, Unterstützung zu bekommen (finanzielle oder psychische), Sexualität in gesellschaftlich akzeptierter Form erleben zu können und viele Sehnsuchtsgründe mehr. Deshalb ist man auf der Suche. Das wahre Geheimnis einer glücklichen Beziehung scheint mir aber ein anderes zu sein: vom richtigen Partner gefunden zu werden. Ich habe diese Erfahrung gemacht und immer wieder aus Berichten anderer bestätigt bekommen. Erst wenn man loslassen gelernt hat, sich in einem neuen, eigenständigen Leben eingerichtet und am Alleinleben Freude gefunden oder zumindest seinen Frieden damit gemacht hat, im allerbesten Fall es sogar in vollen Zügen genießt – erst dann wird man den Menschen treffen, mit dem man gar nicht mehr gerechnet hat. Man wird gefunden werden. Wie heißt es so schön: »Ich liebe dich nicht, weil ich dich brauche. Ich brauche dich, weil ich dich liebe.«

Ich stelle mir immer vor, das ist die Belohnung für eine Lebenslektion, die man brav und unter Mühen – manchmal sogar unter erheblichen Schmerzen – gelernt hat. Das Füllhorn ergießt sich doch oft auf diejenigen, die schon »haben«. Den Siegerpokal bekommt man eben auch erst, wenn man durchs Ziel gegangen ist. Nur siegen zu wollen – also unter dem eigenen Erfolgsdruck zu stehen – genügt eben nicht, um aufs Treppchen zu kommen. Man muss die Strecke (die fünzig Jahre?) schon auch absolvieren.

Viele Menschen strahlen nach gescheiterten Partnerschaften verwirrende Signale aus, einerseits »Ich bin frei und auf der Suche«, andererseits aber, wenn auch unbewusst »Aber eigentlich bin ich immer noch tief verletzt, noch immer traurig, weil ich meinen Partner verloren habe, und ich denke ständig an ihn und die Kränkung, die er mir zugefügt hat.« Wenn diese Botschaft mitschwingt – und sie tut es, denn das feinstoffliche Kommunikationssystem sollte niemand unterschätzen –, werden sich immer nur wieder Menschen finden, die ihre Beziehung deshalb eingehen, weil sie mit und durch den Partner Probleme lösen wollen. Sobald sie sich gegenseitig »repariert« haben, gibt es dann keinen Grund mehr für ein weiteres Zusammensein. Wer hingegen seine seelischen Lebensverletzungen allein (oder mit Hilfe der

Familie oder von Freunden) bewältigt, sich also selbst »heilt«, der ist wirklich frei für eine Beziehung.

Ich glaube natürlich inzwischen auch an keine Zufälle mehr, sondern daran, dass sich die Dinge im Unglück wie im Glück richtig fügen. Keine Träne wird umsonst geweint. Tränen sind für mich – psychologisch betrachtet – so etwas Ähnliches wie körpereigene Selbstheilungstinkturen. Wenn ich mich damals mit Anfang zwanzig nicht so vehement für meinen Beruf entschieden hätte, wäre mir die große Liebe meines Lebens fünfundzwanzig Jahre später nie begegnet, weil uns eben der Beruf und damit dieselben Interessen zusammengeführt haben. Wir hätten uns nicht nur ohne unsere Berufe nicht gefunden – wir haben auch unsere Beziehungswunden jeder für sich verarbeitet. Und wir wurden Freunde, bevor wir ein Paar wurden. Meistens ist es ja – wenn überhaupt – eher umgekehrt.

Wir trafen uns mehrere Male in der Woche abends nach Büroschluss in einer kleinen Kellerbar, tauschten unsere Tageserlebnisse aus, erzählten aus unserem bisherigen Leben, redeten über Bücher, Autoren, Filme, Musik – so wie Freunde das eben tun – und lernten uns immer besser kennen. »Tausend Mal berührt, tausend Mal nichts passiert« – aber (Zeus sei Dank) eines Tages hat es dann doch »Zoom« gemacht und wir zogen relativ schnell zusammen.

An dieser Stelle könnte es heißen: »Und so lebten sie bis an das Ende ihrer Tage.« Erstaunlicherweise hat diese »späte« Liebesgeschichte jedoch noch einen romantischen Zusatz. Nach über sieben Jahren unseres Lebens ohne Trauschein überraschte mich mein Mann eines Tages mit der Frage, wie ich es denn fände, wenn wir in Venedig – heimlich, ohne Familie und Freunde, also ohne jegliches Brimborium – heiraten würden. Obwohl wir uns all die Jahre davor einig waren, dass wir diesen staatlichen »Segen« nun wahrlich für unser Glück nicht bräuchten. Aber Venedig? Das war doch eine sehr romantische Verlockung. Den komplizierten, mehrsprachigen Papierkram, der für so eine Auslandshochzeit zu besorgen ist, übernahm der unternehmungslustige Bräutigam – ein Liebesbeweis der besonderen Art, denn Bürokratie ist doch nie sonderlich spaßig.

Und so kam, wovon Generationen von jungen Frauen vergebens träumen: Kurz vor meinem zweiundfünfzigsten Geburtstag wurden wir im Standesamt in Venedig am Canal Grande von einem Standesbeamten namens Gianbattista getraut. Zwei seiner Mitarbeiter waren die Trauzeugen. Vorher gab es noch unvorhergesehene Aufregung, denn man hatte vergessen, uns zu sagen, dass wir außer den Papieren auch noch Gebührenmarken erstehen mussten. Die bekam man am Hauptpostamt, zirka fünf Gehminuten vom Standesamt. Entfernungen sind in Venedig ja kein großes Problem und wir kannten uns nach vielen Besuchen auch gut in der Stadt aus. Da die Trauung eine Viertelstunde später stattfinden sollte, schlugen wir auf dem Weg dorthin ein etwas schärferes Tempo an. In feinstem Hochzeitszwirn stellte sich mein Mann in die Schlange vor dem entsprechenden Schalter – zufällig der gleiche, an dem die Venezianer ihre Fernsehgebühren entrichteten. Ich wartete in meiner perlenbestickten indischen Hochzeitsjacke und begann mit jeder verfließenden Warteminute mehr zu befürchten, dass wir den Trauungstermin verpassen würden. Schließlich war bezahlt und wir hasteten in ganz unhochzeitlichem Tempo ins Standesamt zurück. Man überreichte mir sogar einen Brautstrauß in Zellophan – drei weiße Rosen – und ein schärpenbewehrter Gianbattista schritt feierlich zur Tat.

Ich kann kein Italienisch, verstehe nur Wortbrocken, aber eine Passage der Rede unseres zwei Meter langen Standesbeamten habe ich verstanden und werde sie nie vergessen: Wir sollten uns gegenseitig ehren und lieben und unsere gemeinsamen Kinder (!) im Geiste von Freiheit und Menschenwürde erziehen. Ich hatte mir vor der Zeremonie fest vorgenommen, nicht sentimental zu sein und nicht zu weinen. In diesem Augenblick half aber kein Vorsatz mehr – die Schminke wurde schwer beschädigt. Es waren echte Freudentränen, und zwar vor allem darüber, dass diesmal niemand hinter mir stellvertretend für mich weinte, weil er befürchten musste, dass ich mich geirrt haben könnte.

Unser Hochzeitsessen fand in der Nähe des Ca d'Oro statt, inmitten von italienischen Ehemännern, die dort in einer kleinen Trattoria vom Einkaufen kommend mit ihren

Plastiksäckchen in der Hand ihren Wein trinken, bevor sie zum Mittagessen nach Hause gehen. Es ist schon lange eines unserer Lieblingslokale in Venedig, es verirren sich so gut wie nie Touristen dorthin. Die Schwester des Wirtes macht wunderbares, in Teig gebackenes Gemüse, das im Viertelstundentakt heiß aus der Küche kommt, und ihre panierten Kalbfleischbällchen sind unerreicht. Danach wanderten wir zurück Richtung Markusplatz, wo wir im Café »Florian« unseren Kaffee nahmen und in Ruhe die deutschen Zeitungen lasen – ganz so wie immer, wenn wir in Venedig waren. Nur mit einem Unterschied – wir waren jetzt offiziell verheiratet. Unseren Familien teilten wir unseren neuen Familienstand erst nach unserer Rückkehr mit.

Es ist ein wunderbares Gefühl, zu wissen und zu spüren, dass man das Richtige tut. Man lernt es aber meist erst in reiferen Jahren erkennen, wenn man so viel erlebt hat, dass man sich seiner selbst sicher sein kann.

Ein ganz wichtiger »Pflegetipp des Glücks« in diesem Zusammenhang: Es ist gut und unbedingt notwendig, sich dieses Glücks und der Liebe täglich neu zu versichern, denn nichts ist selbstverständlich. Mein Rat ist, dieses Wissen auch laut und dankbar in Worte zu kleiden: »Uns geht es wirklich gut!« – und zwar mindestens einmal die Woche. Die Götter auf dem Olymp sollen ruhig wissen, dass es wieder einmal zwei Hälften nach langen Irrungen und Wirrungen gelungen ist, sich zu finden. (Aber bloß nicht zu übermütig werden!)

Die Reise zum Mittelpunkt

Über Gesundheitsfragen darf ich eigentlich nicht sprechen, weil ich schon seit Jugendtagen vieles von dem tue, was Gott und die Medizin verboten haben. Auch später habe ich mich nicht wirklich darum gekümmert, was gesund und was ungesund ist. Das ist höchstwahrscheinlich ein Fehler, ich gebe es zu. Andererseits glaube ich fest daran, dass unser Körper so beschaffen ist, dass er alles tut, was in seiner Kraft steht, um uns am Leben zu erhalten. Genau genommen ist das die einzige Aufgabe, die ein menschlicher Körper überhaupt wahrzunehmen hat. Im Gegensatz zu Vertretern der reinen Gerätemedizin halte ich den menschlichen Körper auch nicht für eine Maschine, sondern für ein »denkendes«, eigenständiges Wesen, das unserem Geist, Verstand und unserer Seele Wohnrecht auf Lebenszeit eingeräumt hat, ihnen sozusagen Heimat gibt. Deshalb lässt er auch jede Menge Signale los, wenn wir ihm seine Aufgabe zu schwer machen. Unsere Seele hilft ihm dabei sehr viel mehr als unser Verstand – denn der geht oft seine ganz individuellen, recht eigensinnigen Wege.

Ich gehöre, wie schon mehrfach im Lauf dieses Buches unschwer herauszulesen war, der Fraktion an, die »Sport für Mord« hält. Zu dieser Überzeugung haben Erfahrungen beigetragen, die ich schon als kleines Kind gemacht habe. Bei langen Bergwanderungen – und wer im Voralpenland aufgewachsen ist, so wie ich, hatte viele davon an der elterlichen Hand zu absolvieren – bekam ich schon nach kürzester Zeit derart aufgeschwollene Finger, dass ich nur mehr mit gespreizten Händen bergauf und bergab trottete, so als hätte ich mir die Hände mit klebrigem Honig beschmiert. Das tat zwar nicht weh, machte aber Unlustgefühle und war für mich schon früh ein Zeichen, dass ich für diese Art der Fortbewegung und Überwindung von Höhenunterschieden einfach nicht gemacht war. Außerdem bekam ich selbst in den besten Bergschuhen und mit den richtigen Socken in null Komma nichts brennende Blasen an den Fersen. (Dabei war ich damals noch ein ganz normalgewichtiges Kind, diese Kreislaufreaktion hatte also nichts damit zu tun, dass mein Körper zu viel Gewicht zu schleppen hatte.) Mit anderen Worten, unsere Bergsonntage waren mir ein Horror. Und ein recht eindeutiges Körpersignal.

Wie sehr die Seele den Körper beeinflussen kann, habe ich zum ersten Mal mit sechs Jahren im wahrsten Sinne des Wortes erfahren (auch wenn ich es erst heute, als Erwachsene, deuten kann), als meine Mutter mit meiner Schwester schwanger war. Sie war dermaßen kugelrund, dass alle felsenfest davon überzeugt waren, da wären Zwillinge unterwegs. Während der Ferien sollte das große Ereignis stattfinden, und ich wurde deshalb zu meinen Großeltern aufs Land gebracht. Wenn ich wieder zurückkäme, hätte ich ein Geschwisterchen, so wurde mir versprochen.

Ich kann mich nicht erinnern, dass ich mich damals abgeschoben fühlte oder auf irgendeine andere Weise unglücklich war. Eher im Gegenteil. Ich liebte meine Großeltern und das wunderbare Leben auf dem Bauernhof. Aber dennoch muss etwas Gravierendes in meinem

Inneren vorgegangen sein. Denn als ich nach sechs Wochen von meinen Eltern wieder abgeholt wurde, erkannte mich meine Mutter nicht mehr auf Anhieb aus dem Kinderrudel von Cousinen und Cousins heraus, die sich um das Auto scharten. Ich war so dick geworden, dass mir meine Großmutter in der Zwischenzeit sogar einen Streifen Stoff links und rechts in eines meiner Kleidchen eingenäht hatte, so eng war es mir geworden. Allein am Essen kann es nicht gelegen haben, denn die anderen Kinder waren ja auch nicht anders ernährt worden. (Und zwischen den Mahlzeiten zu essen – mein größter heutiger Fehler –, war auf so einem Hof nicht drin. Da ging es schon aufgrund der Arbeitsabläufe höchst diszipliniert zu.)

Was immer man für Schlüsse aus dieser Geschichte ziehen mag – kindliche Verlassensängste, Eifersucht – mein Körper hatte beschlossen, der (vielleicht?) jammernden Seele im realen Sinn eine dickere Haut zu geben. (Dummerweise sind die beiden den Rest meines Lebens bei diesem Spiel geblieben.)

Übrigens habe ich meine kleine Schwester über alles geliebt und war überglücklich, so eine süße kleine, lebendige Puppe zum Spielen zu haben. Als sieben Jahre später mein Bruder auf die Welt kam, habe ich sogar das Gesamtkommando übernommen. Meine Mutter erzählt immer wieder, dass ich ihn öfter gewickelt und gebadet habe als sie. Vielleicht sind diese beiden in den Jahren so weit auseinander liegenden Geschwister mit ein Grund, weshalb ich keine Kinder haben »musste« – ich

habe ja schon zwei gehabt. Zwei besonders entzücken-
de sogar (lasst euch das hiermit ruhig gesagt sein, ihr
zwei!).

Weshalb ich bis heute nicht in Kategorien wie Gesundheit
und Krankheit denke, hat wohl auch damit zu tun, dass
ein Landkind wie selbstverständlich mit qualitätvollen
Lebensmitteln, frisch Gekochtem, Gemüse und Kräutern
aus den eigenen Beeten, Obst von eigenen Bäumen, Bee-
ren aus dem eigenen Garten und Hausmitteln aufwächst.
Ich kann mich nicht erinnern, dass wir oft in Apotheken
gewesen wären. Natürlich gab es Heftpflaster und Ver-
bandszeug bei uns daheim. Aber statt Jod wurden in
Alkohol eingelegte Arnikablüten verwendet, bei Verbren-
nungen die Finger unter kaltes Wasser gehalten. Gegen
Erkältungen gab es Lindenblütentee mit Honig, bei Fie-
ber Wadenwickel, bei Bauchschmerzen Fenchel- oder Ka-
millentee. Und Hühnersuppe war sowieso das Allheilmit-
tel schlechthin (was mir stets Leid tat, weil danach immer
eines von den Tieren – sie hatten alle Namen – fehlte). So
gerüstet, kam ein Haushalt von damals gut aus. Vielleicht
geben solche Gewissheiten, nämlich für alles gerüstet zu
sein, eine Sicherheit, die fürs ganze Leben reicht? Sieht
ganz so aus.

Als ich irgendwann kurz vor meinem fünfzigsten Geburtstag beim Frauenarzt war, wollte er mir unbedingt einreden, ich solle doch schon einmal vorsorglich in ein Hormonprogramm einsteigen, das mir später den »Wechsel« erleichtern würde. Da ich unnötige Pillen aus Prinzip verweigere, habe ich abgelehnt. Es gab nicht den geringsten Anlass dafür, alles »funktionierte« wie eh und je und ich hatte keinerlei Beschwerden.

Das habe ich bis heute so gehalten, und es ist auch bis heute so geblieben. Viele Frauen beneiden mich darum, und ich habe dafür eine einfache Erklärung: Ich habe mich vor dieser Körperumstellung nicht gefürchtet, keine überflüssigen Gedanken daran verschwendet und schon gar keinen in die Richtung, dass ich ab dem Zeitpunkt X keine vollwertige Frau mehr sein würde. Mein Seelenhaushalt hat dementsprechend keinen Alarm gehört und demzufolge auch den Körper nicht zu Reaktionen aufgefordert. Das mag sich jetzt recht arrogant anhören – so ist es wirklich nicht gemeint. Aber dass ich einfach in dem Punkt »nur Glück« habe, das ist mir als Erklärung dann doch zu vage. Zumal ich an dieses Zusammenspiel von Körper und Seele – eben, gefestigt aus annähernd fünfzigjähriger Erfahrung – fest glaube.

Im Übrigen muss ich mich korrigieren: Es stimmt natürlich nicht wirklich, dass ich mich für Gesundheit und Krankheit nicht interessiere. Ich verschlinge alle Arten von Büchern und Informationen über die Wirkung von Lebensmitteln und Heilkräutern. Es gibt kaum Spannenderes. Ebenso stürze ich mich auf alles gut und verständlich Geschriebene über Homöopathie und wundere mich sehr darüber, dass so viele Mediziner nicht anerkennen, dass es eben mehr Dinge zwischen Himmel und Erde gibt, als unsere (jeweilige!) Schulweisheit sich träumen lässt. Dass sich eine Blinddarmreizung nicht homöopathisch behandeln lässt, wird auch jeder Homöopath zugeben, steht also außer Frage. Und es gibt auch in unserem Haushalt eine tägliche Tablette, nämlich ein Mini-Aspirin zur Blutverdünnung als Vorbeugung gegen einen Schlaganfall sowie das Gebot, täglich mindestens zwei Liter Wasser zu trinken (übrigens die private Vorbeugungsmethode von Ärzten).

Viele ähnlich eingestellte Frauen wissen ein Lied davon zu singen: Mit den meisten Männern lässt sich weder über Homöopathie noch über Psychosomatik gut reden – zu tief ist in ihnen die Skepsis gegenüber allem verwurzelt, was sich nicht nach herkömmlichen wissenschaftlichen Methoden messen lässt. Also fällt uns Frauen nach wie vor das Wachen über die Gesundheit der Familie und die Behandlung von Störungen mit möglichst sanften Methoden zu. Als ich dem Meinen (der im Gegensatz zu mir rank und schlank ist) vor Jahren einmal ständige und immer schlimmer werdende Kreuzschmerzen, die aus heiterem Himmel gekommen waren, psychosomatisch zu erklären versuchte – dass womöglich seine Seele von der Art und Weise, wie er seinen Beruf auszuüben gezwungen sei, die »Schnauze« voll habe, sein Körper das als Last empfinde und mit Kreuzschmerzen reagiere –, war er zwar kurzzeitig irritiert, verdrängte die Einsicht aber lieber. Als er seine berufliche Situation verändert hatte, trat das Phänomen Kreuzschmerzen jahrelang nicht mehr auf.

Als dieser Tage der Nobelpreis für Medizin für die Entdeckung des Magengeschwür verursachenden Bakteriums Helicobacter pylori vergeben wurde, meinte mein Mann mich mit Blick auf meine Hinwendung zur Psychosomatik in die Enge treiben zu können. Hatte ich doch immer behauptet, Magengeschwüre kämen von unbewältigtem Negativstress und Ärger. Und nun das – ein Bakterium war also schuld! Mit den entsprechenden Informationen über diese nobelpreiswürdige Entdeckung war aber auch die Feststellung verbunden, dass über achtzig Prozent aller Menschen dieses Bakterium in sich tragen. Diese Tatsache müsste doch nach den Gesetzen der Logik bedeuten, dass achtzig Prozent der Bevölkerung in den westlichen Industrienationen Magengeschwüre haben, nicht wahr? Ich behaupte deshalb nach wie vor, dass das Bakterium nur bei denjenigen »zum Zug« kommt, bei denen Seele und Körper sich darüber einig sind, dass ein deutliches Signal abgegeben werden muss. Ein Signal, das sagen soll: »Du legst ein ständiges Verhalten an den Tag, das dir nicht gut tut. Du denkst das Falsche. Du drehst zu hoch. Du arbeitest zu viel. Du kommst nicht zur Ruhe. Hör auf damit!«

Der Arzt in uns – den schon Paracelsus kannte und benannte – drückt sich nicht immer sofort mit Hilfe von Schmerzen aus. Er kennt viele Abstufungen des Alarms. Lange vor dem Schmerz gibt es so ein »gewisses Gefühl«, das uns sagt, dass etwas passieren wird, wenn sich in unserem Verhalten nichts ändert. Mit diesem Gefühl rennt man dann lange herum, weiß nichts Rechtes damit anzufangen und ist nicht in der Lage, Schlüsse daraus zu ziehen. Dann sucht man Rat bei anderen, die meist nicht helfen können, weil man sich gar nicht richtig ausdrücken kann, gar nicht so genau weiß, was einen eigentlich umtreibt. Die falsche Beziehung, der falsche Beruf oder auch nur der falsche Arbeitgeber, Überforderung durch berufliche Doppelbelastung, finanzielle Probleme, Existenzängste – das sind doch alles Angst machende Zustände, über die niemand gerne offen redet (wir sind eine Gesellschaft, die nur den strahlenden Sieger akzeptiert), schon sich selbst gegenüber nicht. Wir müssen heutzutage doch alle so »cool« sein, alles im Griff haben, müssen fröhlich sein, denn irgendeiner zeigt doch immer mit dem Finger auf uns und sagt: »Du bist Deutschland!« (was für ein hilfloser, hirnverbrannter und kontraproduktiver Versuch der Massenmotivation!). Wenn das Problem deutlicher wird, haben viele auch Angst davor, einen Ratschlag zu geben, weil man ja mit jedem Rat auch Verantwortung übernimmt. Wie oft hat jeder von uns – selbst aus der engsten Umgebung – schon gehört: »Das musst du selbst wissen, da kann ich dir gar nicht raten!«. Und so rennt man weiter mit diesem »komischen Gefühl« herum.

Die nächste Alarmstufe, die unser »innerer Arzt« auslöst, ist die »innere Stimme«. Aber meistens hören wir sie nicht, weil zu viel »Außenlärm« vorhanden ist, zu viele Verpflichtungen, zu viele Termine, zu viel selbst oder fremd geschaffener Stress, zu viele Ablenkungen und vor allem, weil wir uns viel zu sehr vor Veränderungen fürchten.

Ich habe diese innere Stimme zweimal so laut gehört, dass mir schien, sie komme aus einem Lautsprecher direkt neben meinem Ohr. Diese innere Stimme war nicht nur ein Gefühl, sie sagte beide Male denselben, voll ausformulierten Satz:

»Wenn du nicht gehst, wirst du sterben!« (Beim ersten Mal – da war ich ungefähr vierzig – stand ich wie von Fäden gezogen auf der Stelle auf, packte meine Koffer und verließ meinen Ehemann. Genau denselben Satz habe ich dann viele Jahre später noch einmal gehört. Mit Mitte fünfzig. Laut und deutlich. Ich schlief ein, zwei Nächte darüber und kündigte dann meinen Job!)

Und dann gibt es noch ein gesundheitliches Frühwarnsystem, das ich sogar für die »Luxusausgabe« der verschiedenen Arten von Alarm halte: den Traum. Ich träume eigentlich eher selten, weshalb mir Schlafgeschichten, die mir am frühen Morgen noch präsent sind, umso mehr auffallen. Ich habe schon manchmal rätselhafte Sprüche geträumt, die ich nach dem Aufwachen aufgeschrieben habe und die wie das Orakel von Delphi auf mich wirkten. Zu der Zeit, als ich anfing, Lyrik zu lesen, träumte ich sogar kleine Gedichte. (Wahrlich keine Kunstwerke, aber alle mit einer inhaltlichen Aussage, die sich inzwischen auf seltsame Weise enträtselt hat.) Und manchmal fallen mir im Schlaf auch Buchtitel oder Artikelüberschriften ein, über die wir im Team tagelang umsonst und ohne Ergebnis nachgedacht haben. Aber meinen beeindruckendsten Traum will ich Ihnen erzählen, denn er beweist, dass der »innere Arzt« existiert – und zwar in jedem von uns, davon bin ich felsenfest überzeugt!

Ich war in diesem Traum unterwegs auf einem großen Flughafen, checkte ein und bestieg ein Flugzeug. Der Kapitän begrüßte die Passagiere »auf diesem Flug nach New York«. Ich erschrak, löste hastig meinen Sitzgurt, sprang auf und rief: »Ich will aber nicht nach New York, ich will doch nach Paris!«

Es gab ein langes Hin und Her mit einer Stewardess, denn die Maschine rollte schon, schließlich gab man meinem Zetern und Jammern nach, und ich durfte das Flugzeug über eine Rutsche mitten auf dem Rollfeld verlassen. Mein Gepäck ginge aber mit nach New York, rief mir die Stewardess noch zu, als sie die Tür des sofort weiterrollenden Fliegers wieder schloss.

Das war mir egal, und ich machte mich über Wiesen auf den Weg zurück zum Flughafengebäude. Das sah beim Näherkommen plötzlich völlig heruntergekommen aus, hatte blinde, ungeputzte Fenster, der Putz bröckelte ab, das Ganze sah nicht gerade Vertrauen erweckend aus. Kurz vor dem Gebäude kamen zerlumpte, aggressive Gestalten auf mich zu und bedrängten mich. Die Situation war sehr bedrohlich.

Ich öffnete in meiner Angst meine Handtasche, in der sich seltsamerweise lauter zerknüllte Dollarscheine befanden. Die warf ich den düsteren Gesellen zu, die sofort von mir abließen, um sich darum zu balgen. Auf diese Weise konnte ich das Gebäude unbehelligt betreten.

Es empfing mich eine Atmosphäre, die einer großen, luxuriösen Hotelhalle ähnelte, mit Marmorböden und weichen Teppichen. Kellner eilten geschäftig hin und her. Ich fragte einen von ihnen nach dem Abflugschalter der Maschine nach Paris. Bevor er antworten konnte, stürzte mein damaliger Mann auf mich zu und zog mich am Arm fort. Er müsse noch eine Behandlung an mir vornehmen, bevor ich abfliegen könne.

Ich wurde in einem Nebenraum auf einen Zahnarztstuhl geschnallt, er zog einen weißen Arztkittel an, stellte mir eine unserer Angestellten als seine Assistentin vor, gab mir mehrere Spritzen – und zog mir alle Zähne. Es ging sehr schnell und tat auch nicht weh. Danach drückte er mir die Zähne einzeln in die Hand, gab mir links und rechts einen Kuss auf die Wange und sagte: »So, jetzt kannst du nach Paris fliegen, du bist vollkommen gesund!«

Ein gruseliger Breitwandfilm der Sonderklasse, das muss man zugeben, oder? Ich träumte ihn zu der Zeit, als meine erste Ehe dem Ende zuging, die gemeinsame Firma wackelte und alles, aber auch wirklich alles in meinem Leben ins Trudeln kam. Was soll man aber mit so einem Traum anfangen, zumal ich ihn mir damals – im Gegensatz zu heute – auch nur in Teilen erklären konnte?

Ich behielt ihn für mich und quälte mich angstvoll damit herum, während ich im realen Leben weiter an allen Problemfronten alles unentschieden schleifen ließ.

Mein »innerer Arzt«, der sich doch so viel Mühe mit dieser hollywoodreifen Inszenierung gegeben hatte, war wohl gehörig frustriert über meine Begriffsstutzigkeit und beschloss, mit stärkeren Kalibern aufzuwarten. Einige Monate später ließ er dann die lautsprecherstarke »innere Stimme« mit der Drohung auf mich los, dass ich sterben müsse, wenn ich nicht ginge. Da erst hatte ich kapiert. Die Folgen waren zwar höchst dramatisch und ich möchte diese Zeit nicht noch einmal durchleben müssen, aber wenigstens kamen die heillos verbackenen, fest betonierten Dinge in meinem beziehungsweise unserem Leben endlich in Fluss. Wir konnten beide endlich anfangen, unsere Zukunft zu überdenken, neu einzurichten und die Gegenwart zu regeln.

»Hilf dir selbst, dann hilft dir Gott« ist einer der Sprüche, den die meisten Menschen – ganz zu Unrecht – für zynisch und menschenverachtend halten. Das ist aber eine ganz fatale Fehleinschätzung, so wie man Sprichwörter sowieso nie unterschätzen sollte. Nicht alle Volksweisheiten sind dumm – eher sollte man sie als Erfahrungsschatz und damit als freundlich-liebevolle Hinterlassenschaft unserer Vorfahren betrachten. Denken Sie nur an die wunderbaren Zitate aus Shakepeare-Stücken. An den existenziellen Dingen des Lebens wird sich nie etwas Wesentliches ändern. Da können wir inzwischen hunderte Male auf den Mond fliegen und den Mars besiedeln wollen (wogegen ich nichts habe, solange ich nicht mitmuss).

Ich bin überzeugt davon, dass ein erheblicher Teil der Menschen, die täglich in den Wartezimmern von Ärzten sitzen, das deshalb tun, weil sie hoffen, das »komische Gefühl«, das sie beschlichen hat, in einem Gespräch erklärt oder gar wegzubekommen. Natürlich sagt niemand zu seinem Arzt »Ich habe so ein komisches, ungutes Gefühl, mit dem ich nichts anzufangen weiß«, sondern schlicht, dass er sich nicht wohl fühle. Was aber soll ein Arzt, der zudem nicht mehr als ein dreiminütiges Gespräch mit einem Patienten bezahlt bekommt, denn mit dieser Aussage anfangen? So beginnen die bekannten Odysseen durch die Arztpraxen, und so entstehen Heerscharen von unverstandenen Patienten. Und das alles nur deshalb, weil wir Menschen nicht darum bemüht sind – oder verlernt haben –, in uns hineinzuhorchen. Da drin, da sind sie alle aufgelistet, die Umstände, die nicht geklärt sind, die Lebensschlachten, die aus Feigheit und Harmoniesucht nicht geschlagen wurden, das »Nicht-Nein-sagen-Können«, das Nicht-Klartext-reden-Wollen, das Nicht-verändern-Wollen – kurzum all das, was dazu angetan ist und beginnt, uns krank zu machen.

Älter zu werden, ist ein unendlicher Gewinn von Lebensqualität, wenn man seine Aufmerksamkeit auf die richtigen und wichtigen Dinge des Lebens lenkt. Als ich zum ersten Mal auf Informationen über den Themenkreis der Psychosomatik gestoßen bin, war das, als würde man mir eine ganz große Tür öffnen, hinter der sich lauter Schätze befinden. (Ich übertreibe nicht!) Allein die Erkenntnis, dass Beschwerden und Erkrankungen kein Makel, keine Schuldfrage, und auch nicht ein hinzunehmendes Schicksal, sondern Wegweiser für notwendige Lebensveränderungen sind, ist doch schon mehr wert als ein Lottogewinn, finden Sie nicht? Außerdem ist diese Tatsache höchst spannend, weil sie lebenslanges Lernen garantiert. Lernen an und mit sich selbst. Es gibt kaum Überraschenderes als diese Forschungsreisen zum Mittelpunkt seiner selbst.

Eine Ärztin erzählte mir einmal, dass das sechsundvierzigste Lebensjahr eine Wegmarke sei. Ab diesem Zeitpunkt lasse die Flexibilität der Haut nach, und morgens würde man beim Aufstehen kurz eine gewisse »Steifheit« in den Knochen spüren, auf jeden Fall nicht mehr ganz so elastisch aus den Federn springen wie all die Jahre zuvor. Stimmt. Na und? Nach drei Schritten Richtung Bad ist das vorbei (und wenn wir sechzig sind, dauert es vielleicht eine halbe Sekunde länger – also noch einmal gefragt: Na und?). Wenn man einmal davon absieht, dass wir im Lauf der Jahre ein paar Abnutzungserscheinungen aufweisen, die niemanden grämen sollten, weil wir dafür an Erfahrung, Weisheit und Genussfähigkeit hinzugewinnen, vorausgesetzt, wir bemühen uns darum, dann ist das doch kein schlechter Handel. Der alte, tausendmal gehörte Spruch: »Ich möchte noch mal dreißig sein, aber all das wissen, was ich heute weiß!« klingt ja nett, ist aber so unerfüllbar wie der Wunsch, fliegen zu können.

Dass die Angst vor dem Älterwerden in Wahrheit die Angst vor dem Tod ist, ist ganz gewiss keine neue Erkenntnis. Aber sich vor ihm zu fürchten, ist wahrlich nicht sehr scharf gedacht. Millionen vor uns und Millionen nach uns werden ihn erleiden müssen. Sich das einzige Leben, das wir haben (vorausgesetzt, man glaubt nicht an Seelenwanderung), mit dem Gedanken an den Tod zu vermiesen, ist in meinen Augen eine ausgemachte Dummheit und basiert auf einer Verwechslung: Sich vor einem schmerzhaften Sterben zu fürchten, das ist begreiflich und das hat Sinn. Dagegen lässt sich allerdings aktiv und vorsorglich etwas unternehmen, zumindest wenn man sich frühzeitig im Leben dazu eine Meinung bildet und dem Gedanken nicht – zum eigenen Nachteil – ausweicht.

Wie aber erkennt man seinen »inneren Arzt«, seine »innere Stimme«? Wie lernt man, sie zu bemerken und (auf sie) zu hören? Wahrscheinlich ist das von Mensch zu Mensch verschieden. Bei mir war es jedenfalls so, dass ich angefangen habe, meine eingetretenen Pfade, meinen Alltagstrott zu verlassen. Ich begann nach Neuem, Fremdem zu suchen, nach Dingen und Informationen, von denen ich dachte, dass sie mir sagen könnten, wie ich mich von dem »komischen Gefühl«, dem mich Nicht-wohl-Fühlen-in-meiner-Haut, das mich mehr und mehr beschlich, nein, geradezu heimsuchte, befreien konnte. Mir war klar, dass ich mehr über mich selbst, über meine Verhaltensweisen und -muster, erfahren musste. Ich begann, mich mit den Altmeistern Freud, Adler und C. G. Jung zu beschäftigen, mit den alten und den moderneren Philosophen. Bei dieser Lektüre stieß ich über kurz oder lang eben auch auf die Psychosomatik und die Homöopathie. Dieser Selbstfindungsvorgang fand in einer Zeit statt, die sehr esoterisch geprägt war – das war damals chic, insofern wurde mein Suchen und Finden erleichtert und begünstigt. (Sagen Sie jetzt nicht igitt – manch einer musste da eben durch, so wie ich. Es kommt ja nur darauf an, in Moden und Wellen nicht stecken zu bleiben, sondern sie für sein »Fort-Kommen« und »Klüger-Werden«, also für seine Selbsterkenntnis zu nutzen.)

In solchen »Such-Zeiten« trifft man auf die erstaunlichsten Menschen und stößt auf höchst spannende Spiele. Sie haben sogar alle (Therapie-)Namen, die ich längst wieder vergessen habe. Aber an ein paar dieser Spiele erinnere ich mich noch gerne. Zum Beispiel an das folgende: Ich sollte mir bei geschlossenen Augen vorstellen, auf einer blühenden Wiese zu stehen. Welche Blüten ich sähe? (Es waren blaue Glockenblumen, gelber Hahnenfuß, weiße Margeriten, roter Klatschmohn und blaue Wegwarten.) Und dann einen Baum, einen sehr großen Baum. (Ich stellte mir eine blühende Linde vor – deren Duft habe ich schon immer geliebt.) Dann sollte ich auf den Baum zugehen, die Rinde betasten und den Baumstamm umarmen. Was ich jetzt fühlte? (Ich fühlte Wärme und hatte den Eindruck, der Stamm pulsiere. Dabei musste ich an meinen Großvater denken. Heute weiß ich natürlich, warum: Ihm habe ich wohl das zu verdanken, was man als »Urvertrauen in das Leben« bezeichnet.) Dann sollte ich um den Baum herumgehen und würde »mein« Tier treffen. Was es für ein Tier sei? (Es war ein Panther. Der saß da, ganz ruhig, schaute mich an und ließ leicht hechelnd eine rosarote Zunge blitzen.) Ich sollte auf ihn zugehen und sein Fell streicheln. Was ich spürte? (Ich spürte ein großes Erstaunen darüber, dass sich das Fell meines Panthers ziemlich rau und fast sogar widerborstig anfühlte, gar nicht so wie das Fell meiner Katze.)

Ich will das jetzt nicht weiter ausführen, nur so viel, ich empfand diese phantasievolle Eigeninszenierung als anregend und entspannend. Die Berührung des Panthers sprach ja sogar Bände. Wenn das schöne schwarze Tier für das Leben an sich stehen sollte – das nahm ich an –, dann sollte das raue Fell signalisieren, dass das Leben eben kein friedlich schnurrendes Hauskätzchen mit Streichelfell, sondern gelegentlich eine widerborstige Angelegenheit ist. Wie wahr. Und wenn der schwarze Kerl etwas mit mir zu tun haben sollte – würde das Bild auch in dieser Hinsicht stimmen, ich kann recht widerborstig sein. Und all diese symbolischen Weisheiten waren »in« mir. Ich finde das heute noch immer erstaunlich.

Mitten in dieser Experimentierphase trat plötzlich ein höchst verwirrendes Phänomen auf: Ich konnte kein Fleisch mehr schlucken. Ich formuliere das bewusst so. Ich hatte keinen Ekel davor, ich kaute es auch, aber ich konnte es nicht mehr schlucken. Das dauerte ungefähr ein Vierteljahr, dann legte sich diese merkwürdige Schluck-hemmung wieder. (Bis heute konnte mir diese Merkwür-digkeit niemand erklären.) Ich erwähne das deshalb, weil in Zeiten, in denen man versucht, sich selbst auf die Spur zu kommen, viele merkwürdige Dinge passieren können – darauf sollte man gefasst sein.

Vielleicht kann auch dieses Beispiel zeigen, wie man mit seiner eigenen inneren Weisheit in Kontakt kommen kann: Im Tarot – einem uralten Psycho-Weisheitsspiel – gibt es im Motivkreis der Schwerter (der für bewusstes Denken und Handeln steht) eine Bildkarte, die mich bis heute sehr beeindruckt. Da steht eine Frau mit verbundenen Augen und gefesselten Händen in einem Halbkreis von Schwer-tern, die im Boden stecken und ihr jede Fluchtmöglichkeit nehmen. Die Frau kann also nicht sehen, weil ihre Augen verbunden sind, sie kann nicht agieren, weil ihre Hände gefesselt sind, und sie kann nicht fliehen, weil ihr der Weg durch den Schwerterzaun versperrt ist. Was aber nur der Betrachter der Karte sehen kann: Die Schwerter stecken im Halbkreis – im Rücken der Frau ist der Weg aus der Gefangenschaft der Um-stände (man beachte dieses Wort im Zusammenhang mit dem Bild!) frei. Sie müsste sich nur umdrehen und könnte damit den Ort des Stillstands und des Schreckens verlassen. Auf diesem Weg würde sie ganz bestimmt jemanden finden, der ihr die Augenbinde und auch die Handfesseln löst.

So gehen viele von uns mit Problemen um. Wir sind blind geworden für alles, was außerhalb der üblichen (Trampel-)Pfade liegt. Dabei liegen die Lösungen oft direkt vor uns. Wir müssen nur manchmal auch nach rechts und links schauen oder uns umdrehen. Wer sagt denn, dass unsere Wege immer geradeaus führen müssen?

Ich will ja jetzt nicht mit dem etwas abgegriffenen (wenn auch wahren) Spruch »Der Weg ist das Ziel« kommen. Aber denken Sie nur mal an die wunderschönen, mäandernden Mündungen der großen Flüsse auf der Welt, an die Donau oder auch an die Giganten in Südamerika. Diese Flüsse haben weite Wege hinter sich – so wie wir –, und bevor sie sich ins Meer ergießen, fließen sie entspannt in selbst geschaffenen, weit verzweigten Paradiesen. Nirgendwo gibt es so viel Naturschönheit und -vielfalt wie in diesen Mündungsgebieten. Ich mag dieses Bild und finde, es passt gut zu unserer Lebenssituation.

Andere Blickwinkel einzunehmen, birgt große Vorteile. (Probieren Sie doch auch mal mein Lieblingsspiel aus, das ich spiele, wenn ich das Gefühl habe, mich ständig im gleichen Alltagstrott zu bewegen. Wir kennen unsere Wohnung nur von den Standorten aus, die wir am häufigsten einnehmen. Vom angestammten Platz am Esstisch, vor dem Fernseher, beim Hereinkommen. Werfen Sie doch mal – nur für ein paar Minuten – einen bewussten Blick in Ihr Wohnzimmer von einer Ecke aus, in der Sie sich sonst nie aufhalten. Sie werden feststellen, dass Ihnen Ihre eigene Wohnung einen Moment lang wie fremd –

oder lassen Sie es mich positiv ausdrücken – wie neu vor-
kommt.

Eine ähnlich interessante Erfahrung kann man machen,
wenn man sich unter Druck gesetzt fühlt. Stellen Sie sich
an die Wand und drücken Sie mit einer Ihrer Hände mit
aller Kraft eine oder zwei Sekunden dagegen. Dann lassen
Sie los. Genau in diesem Moment werden Sie ganz kurz
das Gefühl haben, die Wand weiche zurück. So habe ich
»erfahren«, dass der Druck, unter den wir alle uns manchmal gesetzt fühlen, etwas ist, das mit uns selbst zu tun hat.
Wir sind es, die ihn anwachsen lassen, ihn zulassen, ihn
geradezu herausfordern, stärker zu werden – jedenfalls
sind wir nicht ganz unschuldig daran, wenn wir es so weit
kommen lassen, dass er überhaupt da ist. Weil wir Dinge
nicht rechtzeitig klären und abwehren, die innere und
äußere Unordnung anwachsen lassen, eben nichts tun, wo
etwas getan werden müsste.

Solche einfachen – ja, ich gebe es zu, sogar banalen –
Entdeckungen sind ein Privileg des Älterwerdens und
dermaßen spannend, dass sie jede lächerliche Falte wert
sind.

8

Fielmann lässt grüßen

Eines Tages stellte ich mit Erstaunen fest, dass meine Arme beim Zeitunglesen zu kurz geworden waren. Fielmann ließ grüßen. Ich, mein Adlerblick, und jetzt eine Brille? Als geübte Verschwörungstheoretikerin ging mein Blick sofort strafend und verächtlich auf den Computer neben mir. Wusste ich es doch – diese Dinger sind des Teufels. Jahrelang hatte ich mich erfolgreich dagegen gewehrt. So eine riesige Dunstabzughaube wollte ich einfach nicht auf meinem schönen Schreibtisch stehen haben. Schon die Vorstellung störte massiv mein Schönheitsempfinden. Als man in der Geschäftsleitung meine ästhetisch begründeten Abwehrargumentationen schließlich leid war, wurde ich mithilfe eines »windschnittigen« Laptops überwältigt. Zugeklappt sah es einem Buch nicht ganz unähnlich, das überzeugte mich. Und es geschah natürlich das, was bei einem Suchttypen wie mir zu erwarten war: Ich kam von diesem Ding gar nicht mehr los. Stundenlang starrte ich in höchstem Entzücken auf den Bildschirm. In null Komma nichts habe ich mich in dieses einmalige, wunderbare Kommunikationsmaschinchen geradezu verliebt.

Deshalb schob ich nun die spontane Schuldzuweisung beiseite, wohl wissend, dass nicht jede Liebe blind macht, und marschierte zum Augenarzt. Der verkaufstüchtige Optiker verführte mich, auch noch einen Vergrößerungsspiegel fürs Bad zu erwerben, als ich meine erste Brille bei ihm abholte.

Vergrößerungsspiegel waren für mich damals lediglich ein Qualitätsnachweis für ein gutes Hotel gewesen. Genauso wie ein reichliches Frühstücksbüfett, auf dem weder Butter noch Marmelade plastikverpackt sind und demzufolge auch kein mit kindischen Abziehbildchen beklebtes Abfallkübelchen auf dem Tisch erforderlich ist (widerlich!), und ein Rezeptionspersonal, das einen spätestens nach dem Einchecken mit Namen kennt und auch so anspricht. Der beleuchtete Vergrößerungsspiegel im Hotelbadezimmer war eine ideale Spielwiese, um Hautunreinheiten zu jagen, die man zu Hause, unvergrößert, nie entdeckt hätte. (Und alle anderen um einen herum auch nicht, weil einen im Regelfall niemand durch ein Vergrößerungsglas betrachtet.)

Nun war dieses Detail entlarvende Gerät also im Haus und hielt mich in Sachen Hautkontrolle auf Trab. Wenn ich längere Zeit vor diesem Spezialspiegel verbrachte und mich danach mit verdächtigen roten Druckstellen im Gesicht wieder ins Gemeinschaftsleben einfädelte, drehte mein Mann regelmäßig die Augen gen Himmel, und es folgten unweigerlich die Fragen:

»Wie siehst du denn aus? Wofür soll das gut sein?«

Kurz und gut – dieser Spiegel diente eher einem dubiosen Freizeitvergnügen als einem wichtigen Zweck. Außerdem weiß ich natürlich, so wie jede Frau, dass ich meine Gesichtshaut jenseits der täglichen Normalpflege ohnedies besser meiner Kosmetikerin überlassen sollte. Was unsere Großmütter und Mütter noch für den absoluten Superluxus hielten – einen Besuch bei der Kosmetikerin –, ist für unsere Generation schon längst eine Selbstverständlichkeit geworden. Eine Geldausgabe, die zwar kalkuliert und nicht ganz und gar bedenkenlos geschieht, die man sich aber längst alle vier bis sechs Wochen gönnt (oder zumindest gönnen sollte, wenn es finanziell nur irgendwie machbar ist): zwei oder zweieinhalb Stunden, die dem inneren Wohlbefinden mindestens genauso dienen wie der Pflege des Äußeren.

Gibt es etwas Herrlicheres als das Gefühl, wenn jemand liebevoll an einem herumzupft und massiert? Exquisite Kosmetikbehandlungen kommen gutem Sex auf der Skala der »wunderbaren Gefühle« recht nahe, weshalb Menschen, die diesen Beruf ausüben, über ihre Kunden – egal ob Männer oder Frauen – und deren Fähigkeiten des Loslassen- und Genießenkönnens sehr viel mehr sagen könnten als mancher enge Freund. Der alte Werbespruch »An meine Haut lasse ich nur Wasser und CD« ist wirklich ziemlich aus der Zeit. Es mag ja stimmen, dass auch die ausschließliche Pflege mit Niveacreme die Haut unserer Großmütter samtweich gemacht hat, aber sie haben eben wesentliche Glücksmomente versäumt: Wenn das heiße Tuch auf Gesicht und Dekolleté gelegt wird und man geradezu spürt, wie sich jede Hautpore öffnet; die erste sanfte Reinigungsmassage; selbst das Zupfen der Augenbrauen und die unangenehme Wachsbehandlung eines womöglich vorhandenen, leichten Oberlippenbärtchens nehme ich gerne in Kauf für das, was folgt. Wenn meine Angelika nach dieser Anfangsprozedur sagt: »So, jetzt ist Schluss mit der Quälerei!«, dann rücke ich mich wohlig auf der Liege zurecht, weil ich weiß, jetzt wird es erst richtig schön.

Ich gehöre zu den Menschen, deren Gedanken fast pausenlos um irgendetwas kreisen. Nicht in Sorge, der Typ bin ich nicht, und ich neige auch nicht zur Nervosität. Aber etwas ist in meinem Kopf immer los, und das ist gut so, denn zum Denken ist er ja auch da. Aber unter den öl-, pasten- und cremeerfahrenen Künstlerhänden von Angelika gelingt es mir mühelos, endlich einmal gar nichts, aber wirklich rein gar nichts zu denken. Einfach dazuliegen, sich selbst zu spüren und sich innerhalb seiner eigenen Haut wohl zu fühlen – was für eine Sensation! Wenn ich vollkommen entspannt und wie neugeboren von diesen Wellness-Orgien zurückkomme, meinem Mann eine Wange hinstrecke und ihn zu einer Handprobe der frisch erworbenen Pfirsichhaut auffordere, dann setzt er lächelnd seinen »Aha, es geht dir besonders gut«-Blick auf, und es gibt auf diese Weise noch einmal einen kundigen Schlussapplaus für Angelikas Wunderhände.

Aber jetzt bin ich ziemlich abgedriftet, denn eigentlich wollte ich ja weiter vom Vergrößerungsspiegel berichten, der in meinem Badezimmer gelandet ist und lediglich dazu diente, meiner Kosmetikerin auf unqualifizierte Weise ins Handwerk zu pfuschen. Bis ich eines Tages bemerkte, dass ich den Lidstrich vor dem Normalspiegel nur mehr im Blindflug hinbekam. Also erhielt der Vergrößerer endlich eine vernünftige Aufgabe – als Präzisionshilfe. So wurde er mindestens einmal am Tag frequentiert, um den Augen dunkle Konturen zu geben, die mir die Natur leider nicht im gewünschten Maße ver-

liehen hat. Diese Strichmalerei hatte unverhoffte Nebenwirkungen, weil sie ganz automatisch eine gewisse Ge-
samtschau liefert, sozusagen eine Gesichtsinventur.

Was im Lauf der Zeit wiederum Folgen hatte, denn
der Wunderspiegel förderte ungefragte Ergebnisse zutage.
Ich stellte irgendwann fest, dass da unbemerkt ein paar
ganz dünne Fältchen aufgetaucht waren. Haarfein und mit
bloßem, unbewaffnetem Auge noch nicht zu erkennen,
aber immerhin, sie waren da. Ich weiß noch genau, was mir
damals – meinen fünfzigsten Geburtstag hatte ich schon
eine geraume Weile hinter mir, war also sowieso vom
»Zahn der Zeit« gut bedient und lange verschont worden –
durch den Kopf ging: »Aha, jetzt bin ich auch dran!«

Die feinen Marskanälchen saßen wohl auch nicht zufällig genau an den Stellen, an denen Angelika seit neuestem
besonders sorgfältig, intensiv und liebevoll massierte.

Ich sage es nicht aus Angeberei, ehrlich, aber besonders geschockt war ich nicht. Eher fand ich es interessant,
ab sofort mit Argusaugen beobachten zu können, wie ich
mich im Lauf der Zeit verändern würde. Langsam, aber
stetig, bis zu dem Tag, wo man es auch ohne Vergrößerungsspiegel würde sehen können und es auch sozusagen
»offiziell« wäre. (Schon passiert!)

Ingenieure nennen diesen Vorgang Materialermüdung,
glaube ich. Irgendwie auch kein Wunder, wenn man be-
denkt, wie lange man seine Haut schon zu Markte getragen hat. Mir fielen all die Sonnenbrände ein, die ich
meiner Gesichtshaut – und nicht nur ihr – in den ersten
Jahrzehnten meines Lebens angetan hatte. An einen kann

ich mich noch im Detail erinnern. Ein ganzer Tag am Mondsee in der prallen Sonne. Ich war sechzehn oder siebzehn – und irgendwann am frühen Nachmittag war mir auch noch die Sonnencreme ausgegangen. Am Abend war ich am ganzen Körper krebsrot, das Rot eigentlich schon ins Purpur gehend und mit einem jungen Mann heimlich (angeblich war ich bei einer Freundin) in den »Bacchus-Stuben« an der Salzburger Staatsbrücke zum Abendessen verabredet.

Ich sehe die Szene noch vor mir. Ich trug ein türkisfarbenes ärmelloses Kleid, mit dem mein Sonnenbrand kontrastierte wie eine rot blinkende Ampel. Da ich nur schlecht braun werde, war ich froh, überhaupt Farbe zu haben – die anderen Anwesenden aber schauten sehr befremdet und immer wieder zu mir her. Und der junge Mann hatte auch keine große Freude daran, weil er mich nicht berühren konnte – was zumindest nach dem Nachhausebringen, vor der Haustür in seinem Auto, seine Absicht war –, ohne dass ich vor Schmerzen aufschrie. Genau das sind die Geschichten, die Hautärzte von heute vor Schreck erbeben lassen.

Aber es sind ja nicht nur die Sonnenbrände, die der Gesichtshaut schicksalhaft widerfahren sind. Der Rauch von Tausenden Zigaretten hat sie eingenebelt und ganze Regale voll Kosmetika wurden ihr verpasst – nicht alle davon haben sie entzückt, sonst hätte sie nicht gelegentlich so gereizt reagiert. Mein Vergrößerungsspiegel zeigte mir überdeutlich: Das Imperium war ganz offensichtlich dabei zurückzuschlagen.

Mir fiel bei all diesen Überlegungen ein, welchen Spitznamen ich einer Berufskollegin, die mir einige Lebensjahre voraus ist, einmal in meinem noch faltenlosen, jugendlichen Übermut gegeben habe. »Müde Rose« habe ich sie getauft. »Du weißt schon, die müde Rose … mir fällt ihr Name gerade nicht ein«, und fast alle wussten sofort und ohne in meinen Spitznamenkatalog (eine Spezialität meiner spitzen Zunge) eingeweiht zu sein, wen ich meinte. Die »müde Rose« kam nicht von ungefähr: Wir haben eine alte, englische Rosensorte im Garten. Sie weist ein wunderbares, sehr blasses Rosa auf, und gleich nachdem sich die Knospen dieser gefüllten Rosensorte öffnen, wirkt sie schon ein bisschen müde und erschöpft, so als werfe das Abblühen seine Schatten voraus. Dabei ist diese schöne englische Blässe und das Laszive ihres Blühens kein Zeichen einer Erkrankung, sondern einfach ihre Art. Und die ist perfekt, weil sie so und nicht anders gedacht ist. So und nicht anders will ich auch meine Fältchen betrachten und sogar willkommen heißen. Sie drücken meine ganz individuelle Art aus, im Hier und Jetzt ich zu sein.

Ich habe das nervöse, zum Teil hysterische Reagieren vieler Frauen auf die ersten Fältchen sowieso nie verstanden. Diese Konkurrenzangst vor den Jüngeren ist sinnlos, denn auch sie kommen an den Punkt, wo sie diese

Zeichen an sich entdecken. (Genauso unverständlich ist mir das hektische Ausreißen von ersten grauen Haaren. Unter meinem Karottenrot befindet sich schon seit meinem Vierzigsten reinstes Weiß.) Wir stehen im Museum fasziniert vor alten Gemälden, deren Schönheit und Genialität nicht allein von der Kunst der Pinselführung und vom Motiv herrühren. Man unterschätze nicht die Patina und die Faszination der haarfeinen Risse in den Farbschichten – sie tragen wesentlich zur Aura eines Gemäldes bei. Und damit das Wissen um sein Alter und seine Einmaligkeit. Wir kennen vielleicht seine Entstehungsgeschichte, das Schicksal des Malers und ahnen auch den unschätzbaren finanziellen Wert. Das alles zusammen lässt uns bewundernd und staunend auf dieses Kunstwerk schauen. Manche Menschen sitzen stundenlang in Meditation versunken vor so einem Gemälde.

Ähnlich geht es uns mit alten Möbeln. Es gibt einen Grund, weshalb Antiquitäten so teuer sind. Sie sind alt, rar, handgemacht, und ihr Weg bis vor unsere Augen ist voller faszinierender, geheimnisvoller Geschichten. Geschichten, die unsere Phantasie aufs Höchste anregen. Alten Gemälden, alten Möbeln und alten Häusern wohnt ein geheimnisvoller, faszinierender Zauber inne, etwas ganz Besonderes, das man spüren kann, wenn man seine inneren Rollläden noch nicht ganz heruntergelassen hat.

Einem guten Gesicht sieht man ebenfalls an, dass es mit dem Menschen, dem es zugehört, einen Weg gegangen ist. In einem gelebten Leben ist bis zur Halbzeit viel passiert – das kann und das soll doch nicht spurenlos bleiben. Auf mich wirken Menschen merkwürdig, die mit über fünfzig noch völlig glatte, gänzlich ungezeichnete Gesichter mit sich herumtragen. *Babyfaces.* Wie schrecklich. Das lässt doch vermuten, dass nie etwas geschehen ist, was das Innere ihrer Besitzer erschüttert hat, dass sie nichts und niemanden an sich heran- und schon gar nichts in sich hineingelassen haben. Keinen Schmerz, keine Verzweiflung, keine Trauer, kein übergroßes Glück, keine Leidenschaft. Und dass die Träger dieser Gesichter keine Dummheiten und Fehler gemacht haben, oder schlimmer noch, dass sie ihnen nie bewusst geworden sind. Denn all diese Gefühle und Erfahrungen mit sich und mit anderen Menschen hinterlassen Spuren. Sie lassen das Ticken unserer biologischen Uhr verstärkt sichtbar werden und malen Geschichten in unser Gesicht. Wie das Craquelé, die feinen Haarrisse in der Glasur von Keramiken. Im Fall unserer Haut sind es quasi die »Krakeleien« des Lebens, die uns auf Gesicht und Hände geschrieben werden. Unsere Geschichten. Wer in Gesichtern zu lesen versteht, hat höchst interessante Lektüre vor Augen. Lachfalten, Grübchen in den Wangen und am Kinn, Lebenslinien im ganzen Gesicht – alles Zeichen dafür, wie wir so sind und was uns im Fortschreiten der Zeit alles widerfahren ist. (Was für ein Fehler, diese Lebenszeichen hysterisch zu überschminken und zuzukleistern!) Kurzum: Ich mag Menschen, die eine eigene Geschichte in ihrem Gesicht tragen.

Womit wir beim nächsten Thema wären. Beim »Umschneidern«, wie ich das nenne. Offiziell wird es als

Schönheitschirurgie bezeichnet. Sie merken schon – ich bin dagegen. Das muss aber natürlich jeder für sich selbst entscheiden. Und ich habe gar nicht das Recht, besonders laut zu tönen, weil ich in dieser Beziehung selbst schon einmal »gesündigt« habe. Wenn auch nicht, um dem Alter ein Schnippchen zu schlagen, sondern aus jugendlicher Eitelkeit.

Ich gehöre – es klang wohl im Lauf des Buches schon einige Male an – zu den Runden im Lande. Als Gott den Körperspeck verteilt hat, habe ich leider zweimal »Hier!« gerufen. Und als ich zum ersten Mal von den Lebensgewohnheiten der alten Römer hörte und ihrer Vorliebe, das Leben in halb liegender Stellung zu verbringen, hatte ich ein Déjà-vu-Erlebnis. Mit den zwangsläufigen Folgen meines Hangs zum Wohlleben und meinem Motto »Sport ist Mord!« komme ich jedoch ganz gut klar und habe teilweise recht raffinierte Mittel und Wege gefunden, mein Selbstbewusstsein darunter nicht leiden zu lassen.

Nun hatte ich aber, zu meiner Rundlichkeit passend, Schlupflider, also ständig verquollen wirkende Augen, und das ärgerte mich, weil ich sie wegen dieser Fettpölsterchen nicht gut schminken konnte. Als mir eine Freundin eines Tages erzählte, ihre Frauenärztin sei auch Schönheitschirurgin, fasste ich den spontanen Entschluss, mir diese Päckchen über den Lidern wegmachen zu lassen. Ich war knapp vierzig Jahre alt und schenkte mir diese Korrektur zum Geburtstag (und, um der Wahrheit die Ehre zu geben, zur bevorstehenden Scheidung nach zwanzigjähriger Ehe. In so einer Situation ist klare Sicht für die Zukunft angesagt!).

Als ich mich zum vereinbarten Termin in der Tagesklinik einfand, in der die Korrektur vorgenommen werden sollte, schlug mir das Herz bis zum Hals, das weiß ich noch, als ob es gestern gewesen wäre. Ich malte mir Horrorszenarien aus, was alles mit meinem Gesicht passieren könnte, wenn der Ärztin beispielsweise das Skalpell außer Kontrolle geriet. Aber zum Umdrehen und Gehen war ich zu feige. So setze ich mich brav auf eine Art Zahnarztstuhl und harrte der Dinge, die da kommen sollten.

Die lokalen Betäubungsspritzen links und rechts über dem Ende der Augenbrauen pieksten ein wenig, das war aber auch das einzig Unangenehme, von dem ich berichten kann. Der Rest war einer Kosmetikbehandlung vergleichbar, eine Art sanftes Herumgezupfe, das ich eher als angenehm denn als Schmerz empfand. Nach einer Weile fragte mich die Ärztin, ob ich sehen wolle, wovon sie mich eben befreit hätte. Meine Neugier siegte natürlich, und sie zeigte mir mittels einer Pinzette ein gelbes, gekörntes Etwas von der Gesamtgröße einer kleinen Knoblauchzehe. Ich verbot mir spontan, auch nur im Ansatz daran zu denken, dass ich gerade ein Stück meines Inneren zu Gesicht bekommen hatte, das vielleicht die Umwandlung eines Stücks Sachertorte oder einer anderen süßen Sünde war und sich über meinem Auge eine neue Heimat gesucht hatte. Mir wurde kurzfristig ein wenig übel.

Nach getaner Arbeit entdeckte die Ärztin auf meiner

160

Stirn, dicht unter dem Haaransatz eine Fleischwarze. Sie hat mich nie gestört, war ein Stück von mir, seit ich auf der Welt bin. Jetzt wurde mir angeboten, sie gleich mit zu entfernen, weil man ja ohnedies schon »dabei« sei. (Meine damaligen Eso-Freundinnen waren entsetzt darüber, weil ich mir damit angeblich das Zeichen einer »weißen Hexe« entfernen ließ. Wir gingen damals alle durch eine esoterische Phase, die Verrücktesten unter uns sogar über glühende Kohlen …)

Als ich mich von meiner ersten und letzten Schönheitsoperation erhob, begab ich mich – leicht beklommen – vor den Spiegel im Praxisraum und sah jede Menge schwarzverknüpfte Fäden an den oberen Augenlidhälften, die mit einer Creme nach oben geklebt waren und aussahen wie die überdimensionalen Wimpern von Daisy Duck. Das war's. Ich setzte eine Sonnenbrille auf, legte mich zu Hause früh schlafen und ging am nächsten Morgen mit Sonnenbrille wieder ins Büro. Ich bereue diese chirurgische Verschönerung bis heute nicht, zumal sie ohne Narkose möglich und eine deutlich sichtbare Verbesserung war. Plötzlich hatte ich Augen wie Scheinwerfer und keine »Schweinsäuglein« mehr. (Soviel ich weiß, werden solche Schlupflidkorrekturen in Extremfällen sogar von den Krankenkassen bezahlt, weil sie oft eine Beeinträchtigung des Sichtfeldes darstellen.) Einziges Problem: Inzwischen, gut fünfzehn Jahre später, hat sich schon wieder so manche Portion Apfelstrudel im Rahmen seiner Metamorphose da angesiedelt.

So weit also mein Geständnis. Und jetzt will ich begründen, weshalb ich gegen das wilde Um-sich-Greifen größerer, mit langen Narkosen verbundener Schönheitsoperationen zum Zwecke der Altersvertuschung bin. Es ist so einfach wie vernünftig: Der Mensch sollte sich nicht freiwillig in Lebensgefahr begeben – und das tut man potenziell bei jeder Narkose –, weil er Angst vor dem Tod hat! Denn nicht älter oder gar alt werden zu wollen, hat natürlich mit dieser Angst, zumindest der Angst vor dem »sozialen Tod«, zu tun. Je weiter man sich von den Vierzig entfernt, desto öfter begegnet man dem Thema, ob man will oder nicht – in den Medien und auch in seiner eigenen Umgebung. Davonlaufen hilft nichts – man sollte sich damit auseinander setzen.

Das Ganze ist zudem ein Riesenselbstbetrug, der dauernd Wiederholung fordert. Wie viel Selbsttäuschung muss beispielsweise eine Frau aufbringen, wenn sie sich einen geleegefüllten Plastikbeutel in die Brust einnähen lässt? Kann sie wirklich ungetrübte Freude dabei empfinden, wenn ein Mann voller Lust diesen getürkten Busen umfasst? Muss sie dabei nicht immer daran denken, dass sie eigentlich lügt und betrügt? Auch sich selbst? Auf einen Mann, der mich nur liebt, wenn mein Busen den Bleistifttest besteht, könnte ich gut und gern verzichten. Und einen solchen Eingriff vornehmen zu lassen, nur um dem Partner eine Geburtstagsfreude zu machen, halte ich für schwer übertrieben, oder?

Natürlich weiß ich, dass es Situationen gibt, wo äußere Mängel einen jungen oder jüngeren Menschen seelisch derart belasten, dass er Gefahr läuft, vor Kummer krank zu werden. Dann ist eine Schönheitsoperation natürlich eine Frage der Abwägung. Aber ein lebenserfahrener Mensch sollte seine »Blessuren« und »Materialermüdungen« mit Stolz und Würde tragen. Jugend lässt sich nicht kaufen, sie ist kein Konsumartikel, und man sollte auf seine klügeren Tage nicht zum potemkinschen Dorf werden. Sonst kehrt sich der ohnedies schon böse Spruch »Von hinten Lyzeum, von vorne Museum« um in »Außen Lyzeum, innen Museum«.

Zum Thema gibt es (nicht nur) einen Witz, der wie viele einen recht ernsthaften Hintergrund hat:

Klein Anna ist inzwischen in die Jahre gekommen, aber sie spricht immer noch mit Gott. Sie hat ein krankes Herz und muss sich einer riskanten Operation unterziehen. Während die Narkose eingeleitet wird, spricht Anna noch einmal mit Gott und fragt ihn, wie diese Sache ausgehen wird. Gott versichert ihr, sie müsse keine Angst haben, würde wieder ganz gesund werden und noch viele Jahre leben. Die Operation verläuft gut, und Anna ist überglücklich. Sie beschließt in ihrem Überschwang eine Generalüberholung und begibt sich in eine Schönheitsklinik. Dort lässt sie alles machen, was gut und teuer ist. Ein Gesichtslifting, eine Nasenkorrektur, Fettabsaugen an Bauch, Po und Oberschenkeln und noch ein paar andere Kleinigkeiten. Was man heute halt so alles machen kann. Die völlig runderneuerte Anna verlässt nach einigen Wochen strahlend schön die Klinik. Auf dem Weg zum Parkplatz muss sie eine Straße überqueren, wird von einem Lastwagen niedergewalzt und tödlich verletzt. Im Sterben spricht sie

mit Gott und fragt ihn aufgebracht, warum er sie ange-
logen habe und sie jetzt entgegen seiner Zusicherung nun
doch so früh sterben müsse. Gott antwortet ein bisschen
erschrocken: »Tut mir echt Leid, Anna, aber ich hab dich
einfach nicht erkannt!«

»Schneewittchen« war schon immer eines meiner
Grimm'schen Lieblingsmärchen. Der Auslöser allen Un-
glücks in dieser dramatischen Geschichte ist die Frage:
»Spieglein, Spieglein an der Wand, wer ist die Schönste
im ganzen Land?« Die Antwort: »Frau Königin, Ihr seid
die Schönste hier, aber Schneewittchen ist tausendmal
schöner als Ihr!«, zeigt die tiefe Weisheit von Märchen.
Denn jeder, der allein vor seinem Spiegel steht, *ist* in dem
Moment der Schönste. Keine Konkurrenz weit und breit.
Was nichts daran ändert, dass außerhalb unserer häus-
lichen Spiegelgewalt, da draußen in der Welt, jede Menge Heidi Klums und Claudia Schiffers herumlaufen und
uns täglich über die Medien quasi unter die Nase gehalten
und vor Augen geführt werden. Wollen wir Frauen wirklich alle so aussehen? Wollen wir wirklich unsere Einmaligkeit gegen ein Doubledasein tauschen? Aussehen wie
eine schlechte Kopie? Wie sollen Gott und die Welt uns
dann noch voneinander unterscheiden können?

Ich halte es übrigens für keinen Zufall, dass kein guter

Mensch, sondern die böse Königin mit diesem blöden Spiegelspiel begonnen hat, das unsere Seelen und das weibliche Miteinander vergiftet. Denn die Wahrheit ist: Jeder Spiegel spricht. Er spricht das aus, was in ihn »hineingesprochen« wird. Ich bemühe mich – mit manchmal mehr und an manchen Tagen mit weniger Erfolg –, mir selbst wohlgesinnt zu sein. Ganz generell, aber vor allem auch, wenn ich in den Spiegel schaue. Und denke dabei daran: Ich bin ein Unikat, so wie jeder Mensch auf dieser Welt. Niemanden von uns gibt es zweimal.

Sie glauben, ich flunkere und rede mir diese positive Einstellung nur ein? Sie irren – ganz ehrlich! Das heißt ja nicht, dass ich mir bei aller wirklich vorhandenen Selbstsicherheit nicht auch manchmal sage, dass ich gerne in ein traumhaftes Kostüm in Größe 38 passen würde oder nach dem Duschen von dem langen Eincremen meiner durstiger werdenden Haut genervt bin. Aber dieses zeitverschwenderische Nachdenken über Sachen, die nun mal nicht so sind oder vielmehr eben so sind, wie sie sind, ist mir doch viel zu langweilig. Es ist unproduktiv und hält einen nur vom Leben im Hier und Jetzt ab. Und das kann so wunderbar sein.

Ein weiser alter Grieche hat einmal zu Recht gesagt: Lebe jeden Tag so, als sei es dein letzter. Jetzt stellen Sie sich einmal vor, am letzten Tag Ihres Lebens hätten Sie sich über Ihre Kleidergröße geärgert, mit einer Diät angefangen, schon am Nachmittag einen Hunger wie ein Raubtier gehabt, schlechte Laune bekommen, Ihre Kollegen und Ihren Partner deshalb angeblafft, heimlich ein Stück Kuchen in sich hineingestopft, sich selbst deshalb nicht leiden können, sich im Badezimmerspiegel beschimpft, danach einen überflüssigen Streit vom Zaun gebrochen und wären Türen knallend und im Hader mit sich und der Welt in Ihr Bett gekrochen. Und das wäre der letzte Tag Ihres Lebens gewesen. Was für eine idiotische (letzte) Vorstellung, stimmt's?

9

Freie Sicht aufs Mittelmeer

Ist es nicht herrlich, dass die Zeiten vorbei sind, wo es für die »Reichen, Schönen und Jungen« eine eigene Modewelt gab? Die man in den Illustrierten staunend bewunderte, die unsere Mütter aber nie auch nur ansatzweise auf sich bezogen hätten, ganz einfach, weil sie es sich nicht hätten leisten können? Von den fehlenden Gelegenheiten, so edle Stücke zu tragen, einmal abgesehen. (Und von unseren Großmüttern ganz zu schweigen. Die meinen kannte ich nur mit Schürzen über dunklen, dezent gemusterten Kleidern. Es gab Wochentags- und Sonntagsschürzen. Und wenn ich beim Kochen helfen durfte oder musste, war der erste Satz unweigerlich: »Aber binde dir eine Schürze um!«)

Aus meiner Abneigung gegen Dunkles und gegen Schürzen resultiert ein Tick. Schon als Kind habe ich mit Begeisterung phantasievolle Entwürfe von Abendkleidern gezeichnet, so wie ich sie in den Sissifilmen an Romy Schneider und ihren Hofdamen gesehen hatte. Das waren die ersten Erwachsenenfilme, nachdem ich mir im Kino zuvor mit meiner Großmutter die Nachmittagsvorstellungen von »Schneeweißchen und Rosenrot« oder »Stadtmaus und Landmaus« ansehen durfte. (Später kamen dann solche Meisterwerke wie »Was eine Frau im Frühling träumt«, oder »Die Landärztin« hinzu – mein Gott, was für ein Glück, dass sie keine bleibenden Schäden verursacht haben. Hätte auch anders kommen können.) Die Kinoprogrammhefte, die es damals noch gab, boten auch schöne Vorlagen für Modezeichnungen. Oder ich versuchte, Sorayas Roben zu malen, die immer wieder in den bunten Blättern zu sehen waren. Noch heute mache ich das manchmal gedankenverloren beim Telefonieren, so wie andere Leute dabei oft Muster kritzeln.

Die Zeiten unerreichbarer Mode-Exklusivität nur für Promis ist längst vorbei. Modisches Outfit ist heute für alle da und längst nicht mehr unerschwinglich. Preisunterschiede – wenn auch erhebliche – ergeben sich heute weniger über die Linienführung, sondern viel mehr über Markennamen oder die Qualitätsmerkmale der Materialien. Der Weg dahin war lang genug. Und es gab viel zu lernen, bis wir dahin gekommen sind, wo wir heute modisch gelandet sind: kein bestimmter Stil, sondern mehrere und daraus am besten ein Mix.

Als ich Anfang der siebziger Jahre begann, so etwas Ähnliches wie Karriere zu machen, gab es für Frauen noch die »Hosenfrage«. Es war ausgesprochen kess, um nicht zu sagen unpassend, mit Hosen ins Büro zu kommen. Vielfach sogar regelrecht verboten. (Heutzutage marschiert man damit direkt ins Kanzleramt.) Damals waren Hosen allenfalls Freizeitkleidung. Wie außergewöhnlich Beinkleider für Frauen in unserer Teenagerzeit noch waren, zeigte sich ein Jahrzehnt zuvor, als sich dieses neue Lebensgefühl in Schlagertexten wie »Bluejeanboy und Bluejeanbaby« niederschlug. Wir fanden Jeans natürlich alle toll, den meisten aber waren sie verboten. Mädchen, die diese blauen Röhren trugen, galten in kleinbürgerlichen Elternhäusern als Halbstarkenbräute und in den Augen der meisten »Erziehungsberechtigten« war es von da nicht mehr weit zur Kriminalität. Ein Kleidungsstück, mit dem man sich in die gefüllte Badewanne setzen musste (wobei sich die Haut blau verfärbte), damit es beim anschließenden Trocknen am Körper so einging, dass es hauteng saß, konnte nur des Teufels sein.

Ich hatte damals ganz andere Sorgen. Twiggy war aufgetaucht, und damit begannen für ein Speckklößchen wie mich wirklich harte Zeiten. Gerade war ich noch stolz darauf, Hüftkurven wie Marilyn Monroe (und eine ähnliche Oberweite) zu haben. Vor und nach der Tanzschule spielten wir »Wer kann ein Colaglas auf der Hüfte balancieren«, und ich war immer unter den Siegerinnen. Und dann kam dieser englische Hungerhaken daher und verdarb alles.

Wie gut, dass es auch noch Soraya gab, die ihre traumhaften Abendkleider bis hart auf die Nähte ausfüllte. Sie wurde von ihrem hässlichen persischen Ehemann in Uniform verstoßen, aber gewiss nicht wegen ihrer Rundungen. Derer nahm sich immerhin ein so toller Kerl wie Maximilian Schell an.

Mit roten Backen und großen Augen lasen wir heimlich in Illustrierten, welch tolle Feste die High Society in Rom, Paris und Hollywood feierte. Wir übten stundenlang vor dem Spiegel, um einen Schmollmund à la Brigitte Bardot hinzubekommen. Da Lippenstift von zu Hause aus noch strengstens verboten war, verwendeten wir rosa-metallic glänzende Fieberblasensalbe (die beim Auftragen höllisch brannte und die Lippenhaut austrocknete) oder zumindest Niveacreme (die beim Schmelzen verführerischen Glanz verlieh und immerhin so ähnlich wie Lipgloss wirkte), toupierten uns die Haare auf Teufel komm raus und türmten sie zu den ausgefallensten Aufsteckfrisuren. Das Taschengeld ging fast völlig für Haarnadeln, -spangen, -klammern und -spray drauf. Unsere Petticoats konnten gar nicht genug Rüschenvolants haben, und die wurden mit Hoffmanns Stärke brettähnlich versteift. Pullis, die wir zum Geburtstag bekamen, wurden heimlich in kleinere Nummern umgetauscht, damit sie straffer über dem Busen saßen. Und es setzte regelmäßig was, weil wir mit unseren Bleistiftabsätzen Löcher in den Linoleumboden (ja, so was gab es damals noch) nagelten. Es gab auch noch keine Strumpfhosen, die man wegwarf, wenn Maschen liefen. Wir mussten höllisch auf die teuren Nylons aufpassen und sie zur Laufmaschenreparatur (auch das gab es damals noch!) tragen. Ich kann mich recht gut daran erinnern, wie es sich anfühlte, wenn eine Masche zu laufen anfing. Mit viel Glück spielte sich die beginnende Katastrophe oberhalb des Knies ab – dann konnte man den weiteren Verlauf mit Nagellack aufhalten, ohne dass die »Schande« sichtbar wurde (Mädchen mit Laufmaschen in den Strümpfen waren das Allerletzte).

Was für ein Glück für mich, dass Hosen für Frauen so viele Jahre gesellschaftlich nicht akzeptiert wurden. Mein Hinterteil war schon in dieser Teenagerzeit nicht dafür gemacht, ein Sachverhalt, der sich bis Anfang der siebziger Jahre durchaus nicht verändert hatte. Aber dann kamen Babydoll-Swinger in Mode. Die waren zwar zunächst als Pyjamas gedacht. Erinnern Sie sich? Kurze Höschen und ein weit schwingendes, gerafftes Oberteil (zum ersten Mal in der sündigen »Lolita«-Verfilmung zu sehen). So ging die modische Frau damals ins Bett. Und es gab unglaublich sexy Pin-up-Girl-Zeichnungen davon in US-Zeitschriften, die eine Schulfreundin aus den Tonnen der GI-Siedlung fischte. Ich sehe diese vorwiegend blonden, unnatürlich langbeinigen jungen Phantasiefrauen noch heute vor meinem inneren Auge, verkörperten sie doch in ihren pastellfarbenen Babydolls meinen unerreichbaren Traum von der Idealfigur (den ich offenbar mit den GIs teilte).

Auf jeden Fall wurden diese amerikanischen Pyjamaoberteile von Modemachern eines Tages in Blusenschnitte umgewandelt, die man zu Hosen trug. Machten schlank und waren irrsinnig bequem. Es war der allerletzte Schrei – wie man sagte, wenn man modisch »up-to-date« meinte. Ich arbeitete damals in einem großen Münchner Verlag als Assistentin des Werbeleiters und war in Doppelfunktion für die Presse- und Öffentlichkeitsarbeit zuständig. Einer unserer wichtigsten Sachbuchtitel im Herbstprogramm stammte aus der Feder des Zukunftsforschers Robert Jungk. Er hatte sich im Verlag angesagt, weil er fand, dass wir weder genug noch die richtige Werbung für sein Buch machten, und auch die Pressearbeit lief in seinen Augen nicht so, wie er sich das vorstellte. (Diese Thematik hat mich mein gesamtes Berufsleben begleitet! Fast alle Autoren fühlen sich chronisch falsch verstanden und nicht richtig präsentiert!)

Als ich den Professor und seine Frau zum Besprechungsraum führte, besah mich Frau Jungk von oben bis unten und sagte dann, mein türkisfarbenes Swingeroberteil fixierend: »Jetzt ist mir klar, weshalb das alles für das Buch meines Mannes nicht optimal läuft. Bei Ihrem Zustand!«

Ich brauchte eine Weile, bis ich kapierte, dass sie mich wegen des Swingers, den ich trug, für schwanger hielt. In ihren Augen war dieses topmodische Teil schlicht nichts anderes als Schwangerschaftsmode. Für mich ein unvergessliches Erlebnis, weil ich damals meine erste feministische Erregung verspürte. Dass sie ausgerechnet von einer Frau ausgelöst wurde, verstärkte meinen aufwallenden Zorn. Aber das war typisch für diese Zeit: Schwangersein wurde als eine Art Krankheit betrachtet, die die Einschränkung geistiger Fähigkeiten mit einschloss.

In diesen Jahren zogen mit Mini, Midi und Maxi die merkwürdigsten Modewellen an uns Frauen vorbei, und die Farbskala ging rauf und runter. Bis heute hat sich bestimmt jede Farbwelle schon mindestens dreimal wiederholt. Am schlimmsten war Aubergine. Dieser Lilaton ging mit einer Maxiwelle einher, so dass wir alle unsere dunkellila Wintermäntel durch den Schneematsch schleiften. Aber auch diese Farbe (»Lila, der letzte Versuch«) machte ich mit und sah damit wie ausgekotzt aus, weil mir Rottöne mit Blaustich einfach nicht stehen. Damals lernte ich, dass es Farben gibt, die einen krank aussehen lassen (psychosomatisch gesehen vielleicht sogar machen).

Was ich allerdings nie richtig drauf hatte, das waren die berühmten Markennamen. Ich konnte sie mir einfach nicht merken. Für meine Größe kam Couturierkleidung sowieso nicht infrage, abgesehen davon, dass ich sie mir nicht hätte leisten können, also brauchte ich mir auch nicht einprägen, wie die Sterne am Modehimmel hießen und welche Linie sie gerade erfunden hatten. Ich lernte die Namen der großen Modezaren dann allerdings über ihre Parfüms kennen. Und erfuhr in diesem Zusammenhang so ganz nebenbei, dass Mode und Accessoires sehr viel mehr mit sozialer Rangfolge zu tun haben, als ich in meiner Naivität bis dahin angenommen hatte. Ich dachte, das sei eine reine Geldfrage. Aber weit gefehlt.

Ich war inzwischen avanciert und Pressechefin eines sehr namhaften Verlages geworden, der noch einen Inhaber hatte. Es gab also einen Verleger aus Fleisch und Blut – nirgendwo habe ich übrigens je so viel Positives über wirklich engagiertes Unternehmertum gelernt! –, und der hatte eine attraktive Frau an seiner privaten und eine überaus strenge und äußerst tüchtige Geschäftsführerin an seiner beruflichen Seite.

Bei einer Besprechung, in der es um die Buchmessenplanung ging, hob diese Geschäftsführerin plötzlich schnuppernd die Nase und fragte mich, was ich denn da für ein Parfüm trüge. Ich voller Stolz: »Das ist Chloé von Karl Lagerfeld. Das hat er für Dior kreiert!« Ich platzte fast vor Stolz, denn es war damals ein Riesenwirbel um dieses Parfüm gemacht worden, alle Frauen sprachen darüber, und keine aus meinem Bekanntenkreis konnte es sich leisten. Ich selbst hatte es von einem schwulen Journalistenfreund geschenkt bekommen, der bei der Präsentation in Paris dabei gewesen war und keine anderweitige Verwendung für ein Damenparfüm hatte. Umso geknickter war ich, als ich die Anweisung bekam: »Ich möchte nicht, dass Sie dieses Parfüm hier im Verlag oder überhaupt bei beruflichen Anlässen verwenden. Es ist das neue Parfüm von Frau D.« – die Frau des Verlegers –, »und das trägt in unserem Haus nur sie!« So streng war damals die soziale Distinktion.

Übrigens waren mir bei den Empfängen, die ich zu organisieren hatte, auch lange Abendkleider verboten. Auch die waren ausschließlich der Verlegersgattin und den weiblichen Gästen vorbehalten. Ich hatte lediglich beim Texten der Einladung damit zu tun. Da stand dann kleingedruckt: »Abendgarderobe erbeten« oder »Smoking erwünscht«. (Und bei den Smokingverleihern klingelte die Kasse. Auch schon damals ging Schein vor Sein.)

Mode ist ja für viele Menschen ein Abend füllendes Thema. Das halte ich für übertrieben, gebe aber zu, dass es Spaß macht, vorausgesetzt, man nimmt es nicht zu ernst.

Denn mit Mode ist ein seltsames Phänomen verbunden: Alle wollen »mit der Mode« gehen und tragen deshalb Gleiches oder zumindest Ähnliches, möchten andererseits aber auf jeden Fall gleichzeitig ganz individuell sein und sich von allen anderen unterscheiden. Ambitionen, die eigentlich nicht so recht zusammengehen. Abgesehen davon, dass alles ohnedies schon einmal da war, was bedeutet, dass fast alles, was heute »modern« ist, schon einmal getragen worden ist (oder bei bestimmten Berufsgruppen geklaut wurde; denken Sie an den Militarylook, die vielen Safari-Sommeroutfits, die Turnschuharien und die Bergsteigerschuhe, die heute oft zu den unpassendsten Anlässen getragen werden). Retro ist das neue In-Wort für dieses Phänomen.

Aber am meisten amüsiert mich, dass sich gut betuchte Modebewusste heutzutage dafür benutzen lassen, für diejenigen, denen sie viel zu viel Geld für viel zu wenig Phantasie bezahlen, auch noch Reklame zu laufen. Fehlende Einfälle werden durch unübersehbares Anbringen von Markenschildchen ausgeglichen, die Teil des Designs geworden sind. Wobei man als flüchtiger Betrachter nicht einmal sicher sein kann, ob dieses nach außen getragene Gesinnungszeichen (»Seht her, ich gehöre zur xyz-Familie, ich kann mir das leisten!«) echt oder lediglich eine von einem Hongkong- oder Singapurtrip mitgebrachte Kopie ist oder an irgendeinem Urlaubsstrand von einem Imitationsverkäufer für ein paar Euroscheine als Schnäppchen erworben wurde. (Wofür man heute übrigens in Ermangelung der Hersteller – wie sollte man die auch erwischen, sie sitzen in Indien, Hongkong oder Taiwan – die Käufer bestraft. Was ich für richtig halte. Wäre zu schön, wenn man das auch für die männliche Kundschaft von zur Prostitution gezwungenen Frauen durchsetzen könnte.)

Auf die Kopfgeburten von profil- und magersüchtigen Modemachern sollte ein moderner Mensch – völlig egal, welchen Alters – eigentlich nicht mehr hereinfallen. Vor diese Karren darf man sich nicht spannen lassen und auch noch sein gutes Geld dafür hinblättern. (In diesem Punkt sind uns die Jungen heute voraus; ich stelle oft mit Verblüffung fest, wie selbstsicher sie sich ihr No-Name-Styling zusammenmixen!) Selbstsichere Unabhängigkeit in Modefragen aber muss und kann man ganz leicht lernen – es ist eine Zeitfrage. Auf den Zauber der glanzvollen (aber auch längst älter gewordenen) Markennamen abzufahren entspringt oft einer gewissen Gedankenlosigkeit.

Ob man in der Boutique oder im Kaufhaus einkauft, im Internet bestellt oder gar eine eigene Schneiderin hat, sich im Stil der vierziger, der fünfziger oder der sechziger Jahre des vergangenen Jahrhunderts präsentiert, beim Trödler, im Secondhandladen oder auf dem Flohmarkt auf Jagd nach besonderen Stücken geht – es ist genauso erlaubt, wie eine teure Kaschmirjacke von Jil Sander zusammen mit verwaschenen Jeans zu tragen. Wenn es um Mode geht, hat vor allem die selbsterfahrene Frau heute endlich die Freiheit, jegliches Diktat abzulehnen. Allerdings muss klar sein, dass der eigene Stil nur dann als individuelle Mode erkannt werden kann, wenn man den

Aspekt des Gesamteindrucks nicht aus den Augen verliert.

In diesem Zusammenhang werde ich meinem Freund Michael Merz ewig dankbar sein, denn er hat mich gelehrt, dass es nicht nur auf die Optik ankommt, sondern auch auf die Haptik.

Durch einen glücklichen Zufall hatte ich in meiner Große-Größen-Boutique einen wunderbaren, bodenlangen Abendkaftan erjagt. Mit einem sensationellen Schnitt: Fledermaus-Raglanärmel, die seitlich, kurz über Kniehöhe ansetzten, so dass sie bei gesenkten Armen einen wunderbaren, kaskadenartigen Faltenwurf an den Seiten ergaben. In sensationellen Braun-, Gold und Beigetönen, raffiniert auf schwarzem Hintergrund gemustert, tiefe V-Ausschnitte auf der Vorder- und Rückseite. Entworfen von einer italienischen Designerin, aber nicht nur deshalb, sondern ganz objektiv die exklusivste »Klamotte«, die ich je besaß. Höchst dramatisch, einer Operndiva würdig.

Ich trug das umwerfende Teil bei einem Verlagsempfang und registrierte mit Genugtuung, dass ich alle Blicke auf mich zog. Ich bekam jede Menge ernst gemeinter Komplimente und ging wie auf Wolken. Im Lauf des Abends saß ich dann auch einmal neben Michael. Er nahm den Stoff meiner prächtigen Robe prüfend zwischen die Finger und lächelte mich freundlich an: »Wenn du jetzt noch lernst, dass eine wirklich gut gekleidete Frau niemals und unter keinen Umständen Kunststoff trägt, dann hast du eine der wichtigsten Lektionen in Sachen Mode begriffen!« (Mein prachtvolles Ausnahmekleid war aus dünnem, weich-fließendem Seidenjersey mit einem achtzigprozentigen Kunststoffanteil gefertigt.)

Lektionen, die einem auf Wolke sieben erteilt werden, sind zwar schmerzhaft, aber dafür unvergesslich. Wie gesagt, ich bin meinem alten Freund noch heute dafür dankbar.

In Sachen Material hatte ich schon ein paar Jahre zuvor ein unangenehmes Erlebnis in einer Wiener Diskothek – ich glaube, sie hieß »Prinzessin Anne« und war in der Innenstadt gelegen. Etwa ein Dutzend Verlagskollegen sowie ein paar Autoren und Journalisten beschlossen, nach einem offiziellen Anlass noch einen Zug durch die Gemeinde zu machen. Bis wir schließlich in diesem In-Schuppen landeten. Weißes, rotes und blaues Neonlicht blitzte über die Tanzenden, so wie es eben damals üblich war.

Und plötzlich wurden bei dieser Beleuchtung ganz bestimmte Kleider- und Hemdenstoffe der in wilden Verrenkungen Tanzenden wie von Zauberhand durchsichtig. Man konnte die Unterhemden der Männer und die Unterwäsche der Frauen sehen, sofern ihre Oberbekleidung aus Kunststofffasern bestand – die offenbar bei den Neonblitzen blickdurchlässig wurden. Es sah gespenstisch aus. War irgendwie peinlich und natürlich auch verräterisch. Plötzlich war klar, wer bei C&A oder anderen Billigheimern einkaufte und wer sich Qualitätsware leistete.

Auch das erfährt man im Lauf der Jahre: Teure Stücke von exquisiter Qualität hängen – klug ausgewählt – nicht von modischen Trends ab. Sie haben immer Saison.

In Sachen Mode sollten wir Frauen auch gut Freund mit unserem Friseur sein. Langweilige und ungepflegte Haare würden sogar ein Diormodell zum absoluten Nichts degradieren. Ähnliches gilt für ungeputzte Schuhe mit schief gelaufenen Absätzen. Sie meinen, das seien Binsenweisheiten? Dann setzen Sie sich mal eine halbe Stunde in ein Straßencafé und lassen Ihre Blicke schweifen. Damit wir uns nicht missverstehen: Es hat uns prinzipiell nichts anzugehen, was andere Leute mit sich so anstellen, solange sie niemand anderen damit belästigen. Ich finde es nur schade, wenn schöne und teure Dinge von ihren Besitzern nicht gewürdigt werden und aufgrund von Missachtung ihren Glanz verlieren. Gutes Modehandwerk ist eine große Kunst, auf die die Macher viel Zeit und Können verwenden. Man sollte es würdigen und nicht – nur weil man es sich leisten kann – unaufmerksam und lieblos damit umgehen.

Ich lehne Modetrends, die als Diktat daherkommen, rigoros ab, aber ich ärgere mich, wenn sich Frauen, die im Scheinwerferlicht der Öffentlichkeit stehen, als modische Vogelscheuchen präsentieren. Etwa in einer zerknitterten Jacke, die an den Oberarmen spannt, am Rücken die Konturen des BHs nachzeichnet, zum Jackenknopf hin (warum machen so viele Frauen den auch noch zu, wenn sowieso schon alles zu eng sitzt?) ein Dutzend Falten zieht und das Ganze auch noch viel zu kurz ist.

Sie finden diese herbe Kritik unsolidarisch und oberflächlich? Warum eigentlich? Ich weiß, viele Frauen mögen es nicht, wenn Frauen an Frauen modische Nachlässigkeiten kritisieren. Ich halte das für falsch verstandene Emanzipation. Ich mag es auch nicht, wenn Männer ausgebeulte Hosen und schlecht gebügelte Hemden tragen, oder ihre Krawatte auf halb acht steht. Diese Art, von sich selbst abzusehen, ist nicht immer automatisch ein Zeichen dafür, dass diesen Menschen Inhalte wichtiger sind als Äußerlichkeiten. Aber gewiss lässt sich über dieses Thema trefflich streiten.

Es gibt ein paar ungeschriebene Gesetze in Sachen Outfit, die jede erfahrene Frau beherrscht: Nicht zu eng (egal ob dick oder dünn, zu eng ist absolut tabu!), nicht zu kurz oder zu lang, nicht zerknittert, nicht verfleckt, keine aufgerissenen Nähte und Säume, keine abgelatschten Schuhe. Ich muss mich korrigieren, Letzteres ist keine Frage der Mode, sondern eine Frage der Ehre.

»Kleider machen Leute«, das stimmt und niemand hat es je eindrucksvoller und in schöneren Worten beschrieben als Gottfried Keller. Mode ist eben gerade nicht nur ein Ausdruck von Zeitgeist. (Erinnern Sie sich an die »Goldwelle« vor ein paar Jahren, als alle plötzlich goldene Schuhe, Gürtel und Taschen trugen? Auf dem Höhepunkt dieser »Uns geht's super-Welle« oder kurz danach wurde uns verkündet, dass es mit unserem Land bergab gehe … Die Modemacher haben das wohl gerochen und die letzten Goldreserven aufgebraucht.) Was wir tragen, zeigt, wie wir ticken und was wir denken. Ab einem ganz bestimmten Geburtstag – das kann durchaus auch erst der fünfzigste sein – weiß man das. Und richtet sich danach.

Beim Thema Mode lässt sich zum Schluss ein ganz bestimmtes Stichwort nicht vermeiden: Kaufrausch. Es gibt so Tage – viele Frauen, die ihr eigenes Geld verdienen und daher nicht von der Verantwortung für andere zurückgehalten werden, kennen das –, da hilft alles nichts: Wenn der Frusthund von der Kette will, dann gibt es einfach kein Halten mehr. Dann wird gekauft, was einem ins Auge sticht und was nicht niet- und nagelfest ist. Ich weiß, wovon ich rede, weil ich ja noch eine zusätzliche Ausrede hatte: »Wer weiß, ob ich diese wunderbaren Stücke jemals wieder in meiner Größe bekomme?«

Die »Erfindung« der Kreditkarten hat dem Toben des inneren Schweinehundes natürlich entsprechend Vorschub geleistet. Man muss ja nicht mehr überprüfen, ob man genügend Bargeld oder Schecks dabei hat. Wenn ich mir überlege, was so einem Boutiquenüberfall oft vorausging, kommen die seltsamsten Anlässe zutage: Die Elf-Uhr-Konferenz dauerte eine geschlagene Stunde länger als angesetzt, weil sich irgend ein zu kurz geratener Kollege um zehn Zentimeter größer labern musste und wieder alle zu feige waren (inklusive man selbst), ihm Einhalt zu gebieten. Weshalb man zu einer wichtigen Verabredung zu spät kam und das eigentliche Thema, den Anlass des Treffens, gar nicht mehr anschneiden konnte. Dadurch eine wichtige Information nicht bekam, mit der man am nächsten Tag beim Chef glänzen wollte, um ihm eine bestimmte Entscheidung aus den Rippen zu leiern. Dann rief auch noch die Werkstatt an, dass das Auto heute nicht mehr fertig würde, das man aber unbedingt gebraucht hätte, um eine Freundin wie versprochen vom Flughafen abzuholen. Und dann gab's den dritten Feuerprobealarm in dieser Woche und man sollte unter Umgehung des Lifts vom fünften Stock ins Freie jagen. Spätestens da sah frau rot, schnappte sich die Handtasche, bestellte noch während des hausinternen Sirenengeheuls telefonisch ein Taxi – und schon war der Kaufrausch programmiert und angelaufen.

Glauben Sie mir, wenn ich Ihnen sage: Das hört mit dem Älterwerden auf? Ganz einfach deshalb, weil man sich traut, die Konferenz zum angesetzten Zeitpunkt zu verlassen, der Autowerkstatt einen Leihwagen oder die Bezahlung der Taxirechnung abverlangt (und eines von beidem auch bekommt) und es daher überhaupt keinen Grund mehr gibt, sich über den Feueralarm aufzuregen.

Im Übrigen hat die kluge Frau längst gelernt, neue Klamotten erst dann wieder zu kaufen, wenn sie ihren Schrank gesichtet und ausgemistet hat. Das sind höchst vergnügliche Aktionen, bei denen oft Stücke und Kombinationsmöglichkeiten zu entdecken sind, die man lange nicht mehr in Betracht gezogen beziehungsweise an die man noch gar nicht gedacht hat. Außerdem tauchen wunderbare Erinnerungen an besondere Ereignisse auf, man denkt angesichts der Kleider an Menschen, die man lange nicht mehr gesehen und gesprochen hat. Greift danach spontan zum Telefonhörer oder schreibt ein Mail. Und bekommt die überraschendsten, entzückendsten Rückmeldungen.

Das System »Schrankbegehung« ist überhaupt ein gutes Stichwort und lässt sich auf viele Alltagsbereiche übertragen. Ich konnte mich vor seiner Entdeckung nur schwer von Sachen trennen – immer mit der Ausrede, das könnte ja vielleicht noch einmal gebraucht werden. Alles Quatsch, glauben Sie mir! Schuhe, die Sie seit drei Jahren nicht mehr getragen haben, tragen Sie auch im vierten nicht. Weg damit in den Sammelcontainer – es gibt genügend Leute, die die Sachen dringend brauchen können. Und auch die Nummer »Aber vielleicht nehme ich irgendwann so viel ab, dass ich den blauen Rock wieder tragen kann« ist oberfaul. Weg damit in die Kiste für die Kleidersammlung. All dieses ungetragene Zeug verstopft nur Schränke, Regale und Schubladen. Müllt nur die Wohnung zu. Freie Sicht aufs Mittelmeer ist angesagt. Ansammlungen von unbenutzten Sachen tragen nämlich – ob Sie's glauben oder nicht – wesentlich zu unseren inneren Unklarheiten und Unentschlossenheiten bei. (In der Küche ist es doch genauso. Die leeren Marmeladengläser zuhauf haben doch nur Sinn, wenn Sie auch wirklich

Marmeladen kochen. Für diesen Fall genügen ein paar – also weg mit den fünfundzwanzig anderen. Ebenso die mit Krimskrams gefüllten Schälchen. Oder haben Sie je erlebt, dass Sie einen Gummiring dann bei der Hand hatten, wenn Sie ihn gebraucht hätten? Und sammeln Sie auch keine Senfgläser, wenn genügend Saft- und Wassergläser vorhanden sind. Welchem Gast wollen Sie ein Getränk in einem Senfglas servieren? Na also.)

Dieses unsägliche Sammel- und Anhäufungsgen haben uns unsere Mütter und Großmütter mitgegeben, es stammt aus deren schrecklichen, entbehrungsreichen Kriegserfahrungen. Wir können es gutheißen oder nicht, aber wir leben nun mal in einer Verpackungs- und Wegwerfgesellschaft und dadurch sammelt sich ungeheuer viel an. Da muss man lernen, Wichtiges und Brauchbares von Unwichtigem und Talmi zu unterscheiden.

So eine »Ich kann loslassen«-Aktion sollten Sie unbedingt einmal machen. Man fühlt sich danach leicht wie eine Feder. Und wer weiß, vielleicht stellt sich ja sogar dabei heraus, dass mal wieder eine größere Kleiderkaufaktion fällig und erlaubt ist? Aber im Gegensatz zu früher als freudiges, bewusstes Erlebnis und ganz ohne Frust.

Es gab einmal eine Zeit, da begannen Karrieren noch ganz unten. Die meine startete in einem grünen Arbeitskittel, und das Erste, wofür ich Verantwortung trug, waren sauber abgestaubte Regale. Als der Test bei der Berufsberatung ergeben hatte, dass ich die ungekrönte Aufsatzkönigin meiner Klasse war, da stand fest: Das Mädel muss in einen Verlag. Ich war entzückt. Denn ich stellte mir vor, ich würde dort den ganzen Tag lesen dürfen.

Eine Lehrstelle zu finden, war in den sechziger Jahren überhaupt kein Problem, und ich fieberte während der letzten großen Ferien jenem Tag entgegen, an dem ich endlich zum Ganztagslesen antreten durfte. Meine Mutter hatte mir einen grünen Arbeitskittel geschneidert (mit Pepitapaspeln, damit es nicht gar so sehr nach »Blaumann« aussah), und damit über dem Arm trat ich im Otto-Müller-Verlag in der Ernest-Thun-Straße in Salzburg an. Mir wurde schnell klar, dass die Sache mit dem Lesen wohl noch etwas auf sich warten lassen würde. Aber immerhin, beim Abstauben der Lagerregale – denn das war meine erste Aufgabe – lernte ich die Bücher des Hauses kennen. Mit den wenigsten konnte ich etwas anfangen, aber einige ließen mich doch hinter Bücherbergen versteckt die Zeit vergessen, und ich wurde mit den Worten »Du bist zum Arbeiten hier und nicht zum Lesen!« hinter den Regalen aufgestöbert.

Täglich um elf Uhr machte ich mit einem Block die Runde im Haus und hatte alle zu fragen, was ich ihnen zum Mittagessen besorgen dürfe. Ich wurde rasch Expertin in Sachen Leberkäsesemmeln, Schinken- und Käsesorten, Wurstsalat, Buletten und anderer Büromahlzeiten. Am Nachmittag lieferte ich per pedes eilige Bestellungen unserer Bücher in den Salzburger Buchhandlungen ab. Ich weiß nicht mehr, wie viele Waggerl-Exemplare von »Das ist die stillste Zeit im Jahr« (einer unserer Bestseller) ich in diesen Jahren in der Advents- und Weihnachtszeit in die Rupertusbuchhandlung, zu Alpenland an der Staatsbrücke, zu Mozko am Residenzplatz oder zu Höllrigl in die Sigmund-Haffner-Gasse geschleppt habe. Es kommt mir vor, als wären es Tausende gewesen. Und jedes Mal, wenn ich die Tür einer Buchhandlung öffnete, strömte mir dieser ganz besondere, einmalige, unverwechselbare Geruch entgegen, den nur Bücher an sich haben. Ich werde das Gefühl, das dieser Bücherduft in mir damals auslöste, niemals vergessen – es war, als würde sich das Tor zur Welt, ach was, zum Himmel öffnen.

Wenn ich meine Lieferungen abgegeben hatte, durfte ich ins nächste Paradies. Ins Feinkostgeschäft Stranz & Scio in der Getreidegasse, denn nur dort gab es die Teesorte Earl Grey (von der ich bis dato noch nie gehört hatte, wir tranken zu Hause einfach schwarzen Tee, der keinen Namen hatte und schon gar keinen, den Charles Dickens erfunden haben könnte), von der ich unserer Lektorin einmal die Woche zwanzig oder dreißig Gramm mitbringen musste, weil sie offenbar nur mit Hilfe dieses bergamotte-parfümierten Tees einen konzentrierten Blick auf die Texte ihrer Manuskripte behalten konnte. (Der Geruch bei Stranz & Scio war übrigens auch keineswegs zu verachten.)

Ich will meine Berufsanfänge nicht weiter vor Ihnen ausbreiten und habe nur deshalb davon erzählt, weil sie meiner Meinung nach etwas deutlich machen, was heute, im »Job«-Zeitalter, verloren gegangen ist. Wenn man einen Beruf beginnt, muss man das Glück haben, Menschen zu begegnen, die einem nicht nur Fachliches beibringen, sondern auch die Liebe zu diesem Beruf. (Denn es stimmt: Das Wort Beruf kommt nach wie vor von Berufung.) Oder man hat von vornherein das große Los gezogen und kann sein Hobby zu seinem Beruf machen, so wie es mir gelungen ist.

Viele Menschen unserer Altersgruppe haben ihr Arbeitsleben noch unter gesegneten Umständen begonnen – sie konnten ihren Neigungen nachspüren und wählen, womit sie ihr Geld künftig verdienen wollten. Und keiner hätte auch nur im Traum daran gedacht, sich darüber zu beschweren, dass man auch das Kellergeschoss seiner Arbeitsstätte kennen lernen oder Semmeln holen musste. Das hat Menschen hervorgebracht, die sich nicht zu schade sind, auch mal anzupacken, wenn es keine Lorbeeren zu ernten gibt. Die im Zweifelsfall Improvisationskünstler sind und denen es um die Sache und nicht ausschließlich um Ego oder Geld geht. Generalisten. Solche Prägungen erfahren zu haben, ist ein ganz großer Glücksfall. Längst haben Controller in allen unseren Firmen mehr zu sagen als die Kreativen, und es scheint vergessen zu werden, dass Erstere ohne Letztere gar keine Arbeit hätten. (Das heißt nicht, dass ich Rechner geringschätze – im Gegenteil. Aber es geht um die Verhältnismäßigkeiten in den

Hierarchien. Wenn die Rechner bestimmen, wie das neue Schuhmodell aussehen soll und aus welchem Material es gefertigt sein darf, können die Designer und »Schuster« ja getrost zu Hause bleiben.)

Das Wunderbare an den paar Jahren mehr, die man auf dem Buckel hat, ist die Tatsache, dass das Karriererennen bereits gelaufen ist. Entweder man hat sie gemacht – oder eben nicht.

Wobei »Karriere« etwas Relatives ist und vom Auge des Betrachters bestimmt wird. Im Allgemeinen wird der Status danach beurteilt, wie viel Geld jemand verdient und welchen »Titel« er verpasst bekommen hat. Sie wissen schon, die Nummer »Mein Haus, mein Auto, meine Yacht …«. Die ewige Sache mit dem Sein und dem Schein eben. Nur weil ein Personalchef heute »Head of Human Resources« heißt, hat sich an seinen Aufgaben nichts Gravierendes verändert (außer, dass man den heute vielfach verbreiteten, menschenverachtenden Blick auf die »Ware Arbeitskraft« jetzt schon am Titel ablesen kann).

Heute Karriere gemacht zu haben, ist ein mehr als zweischneidiges Schwert. Unter Umständen zahlt man dafür einen hohen Preis: den Verlust an Lebensfreude, den Verlust von Freunden und Familie. Und viele stellen eines Tages fest, dass ihnen aus dem Badezimmerspiegel ein Fremder entgegenschaut. Einer, der nicht mehr weiß, ob gerade Frühling, Sommer, Herbst oder Winter ist, und auch nicht, ob er sich gerade in New York, Hamburg, Paris, Tokio oder München befindet. Und der nicht mehr erfährt, ob er wirklich Freunde hat oder ob ihn lediglich Menschen umgeben, die sich unter dem Mäntelchen vorgeblicher Freundschaft Vorteile durch ihn verschaffen wollen. Und das Allerschlimmste ist, dass Menschen in dieser scheinbar privilegierten Situation gar nicht mehr in der Lage sind, sich solche Fragen überhaupt noch zu stellen. Es dürfte ziemlich kalt geworden sein, da drinnen, und ziemlich einsam, da oben.

Ich werde mein Entsetzen über eine Internet-Live-Übertragung aus New York nie vergessen: Unser aller Boss hielt vor den dort versammelten Spitzenmanagern einen flammenden Vortrag, der im Intranet auf die Computerbildschirme sämtlicher Abteilungsleiter aller Konzernfirmen übertragen wurde. Am Schluss seiner Motivationsrede riss er sich sein Sakko vom Leib, warf es vom Podium aus schwungvoll in die versammelte Menge seiner Topführungskräfte und rief: »Ich würde für unsere Firma sterben!« Die Auserwählten zu seinen Füßen tobten, klatschten und jubelten dem Mann euphorisch zu.

Abgesehen davon, dass dieser Auftritt nur eine Kopie war (Bill Gates oder dessen Stellvertreter schreibt man das »Original« dieser Art Vorstellung zu, wie man mir später berichtete), stockt einem doch der Atem, wenn man Zeuge einer solch schrecklichen Verirrung wird. Ein Mann, verheiratet und Vater von Kindern, will seine

Untergebenen dadurch zu Spitzenleitungen motivieren, indem er solche Lippenbekenntnisse von sich gibt! Was für eine Beleidigung des Charakters und des Verstandes seiner teuer bezahlten Manager! Ich fühlte mich obendrein ungut an Reden aus einer Vergangenheit erinnert, die weit hinter uns liegen sollte.

Wen wundert es bei einer solchen geistigen Verfassung noch, wenn Motivationssprüche wie »Sieg oder Sibirien« durch die Chefetagen geistern und gezielt nach unten durchgereicht werden. Oder wenn dem Jahresabschluss- bzw. Weihnachtsbrief aus der Konzernzentrale kleine Schreibtischaufsteller beiliegen, auf denen »Lasst bloß nicht nach!« als Jahresmotto aufgedruckt ist. Wen wundert's, dass es immer und überall mehr als genug »kleine Chefs« gibt, die dieses Mantra auch noch stolz und gut sichtbar auf ihren Schreibtischen platzieren. Diejenigen, die schon in Höhen vorgedrungen sind, dass sie solchen Sprüchen applaudieren müssen (weil sie sonst fürchten, womöglich firmentechnisch ins sibirische Abseits zu geraten), werden nicht gesünder. Weder seelisch noch körperlich. Das bekommen die unteren Etagen unter Umständen zu spüren.

Kennen Sie übrigens die Geschichte vom Frosch im Topf? Nein? Sollten Sie aber, damit es Ihnen nicht ähnlich geht: Man setzte einen Frosch in einen Topf mit lauwarmem Wasser. Er fühlte sich sauwohl. Man stellte den Topf mit dem Frosch auf eine Herdplatte und drehte auf mittlere Hitze. Der Frosch fühlte sich in dem wärmer werdenden Wasser immer noch sauwohl. Dann stellte man die Herdtemperatur auf höchste Stufe. Das Wasser wurde immer heißer, begann zu kochen … Der Frosch bemerkte es erst, als er tot war. (Ein real durchgeführtes Experiment, das immer wieder in der Managementliteratur zitiert wird.) Diese grausige Szenerie steht für eine Art Karriere-Stress-Wahnsinn, den nur zwei Sorten von Menschen vermeiden können: jene, die von Haus aus nicht auf Karriere aus sind, und Leute, die erfahren sind und die damit verbundenen »Fallen« längst durchschaut haben.

Der Mann, der für seine Firma sogar sterben wollte, hat sich übrigens eines Tages selbst in »Sibirien« wiedergefunden. Heute wird er wohl, wie man so hört und liest, für eine andere Firma sterben wollen.

Man muss schon aus einem besonderen Stoff gemacht sein, um mit so viel Macht und Verantwortung angemessen umgehen zu können. Und Sie würden mich sehr missverstehen, wenn Sie hinter dieser Geschichte eine generelle Ablehnung von Spitzenmanagern vermuten. Es steckt auch nicht der geringste Geldneid dahinter. Die Millionen seien diesen Menschen – die meistens ja nicht einmal mehr die Zeit finden, ihr sauer verdientes Geld auszugeben – durchaus gegönnt. Aber nur dann, wenn sie ihre Aufgaben genauso gut erledigen, wie der kleinste und »geringste« Arbeiter ihrer Firmenimperien das auf seinem Posten auch tut. Allerdings bin ich davon überzeugt, dass diese Ausnahmemenschen – die jedes Land und jede große Firma braucht, so wie jedes Schiff einen Kapitän – sich gefallen lassen müssen, dass wir sie an der gleichen

Elle messen wie das kleine Schneiderlein früherer Zeiten. Ethik hat auch und gerade in diesen einsamen Höhen mehr zu sein als ein in Sonntagsreden gebrauchtes Wort.

Wenn ich daran denke, wie viel berufliches Glück ich in meinem Leben hatte, müsste ich eigentlich ganz demütig sein. Alle meine Positionen haben sich immer irgendwie logisch aus meinen vorhergehenden Tätigkeiten ergeben. Ich habe das Glück gehabt, nie um eine Beförderung oder eine Gehaltserhöhung bitten zu müssen. Wer so viele gute Erfahrungen gemacht hat, hat automatisch auch mehr Mut, oder sagen wir mal – damit es nicht gar so arrogant klingt – weniger Anlass, zögerlich zu sein. Ich jedenfalls habe erfahren, dass ein Mindestmaß an Courage und Offenheit meistens belohnt wird oder aber zumindest interessante berufliche (und private) Aspekte eröffnet. Wenn man aufgrund von beruflichen Erfolgen und Erfahrungen beginnt, wirklich selbstsicher zu werden, und sich dadurch auch traut, Offenheit couragiert an den Tag zu legen – denn diese Eigenschaften werden einem kaum in die Wiege gelegt, man muss sie sich recht mühsam erwerben oder anerziehen –, ergeben sich allerdings zunächst oft Irritationen.

Natürlich erfährt man als Erstes, dass man sich durch Offenheit und Verzicht auf Drumherumreden und diplomatisches Mäandern nicht überall beliebt macht. Dabei lernt man eine der wichtigsten Lektionen im Berufsleben: Wichtig ist nicht, dass man von Chefs und Kollegen geliebt, sondern dass man geachtet und respektiert wird. Liebe ist eine private Kategorie. Die große »Firmenfamilie« auf Grillfest-, Weihnachtsfeier-, Sommerfest- und Betriebsausflugsbasis habe ich schon immer eher skeptisch betrachtet. Everybody's Darling is everybody's Depp. Als ich mich dabei ertappte, dass ich Urlaubstage verfallen ließ und auch am Wochenende ins Büro ging, aber mir nicht mehr die Zeit nahm, meine nur hundertvierzig Kilometer entfernt lebende Familie zu besuchen, wusste ich, dass ich an der »Workaholic«-Nadel hing und zu viel des Guten für meine Freude am Beruf tat. (So etwas zu ändern, ist mindestens so schwer, wie mit dem Rauchen aufzuhören oder eine Diät konsequent durchzuziehen.)

Auf politische Korrektheit keine Rücksicht zu nehmen und den Mund aufzutun, wann immer es im Sinne der Firmensache (aber natürlich auch der eigenen, der Abteilung und der Mitarbeiter) notwendig erscheint, stößt nicht nur auf geringe Gegenliebe, sondern auch auf Misstrauen.

Ich weiß natürlich, dass das »Mund aufmachen« eine Mutfrage ist. Das ist ohne einen gewissen Erfahrungshintergrund und ohne einen gewissen bereits erworbenen Status nicht einfach – man »traut« sich als junger Mensch nicht ohne weiteres zu opponieren. In Zeiten wie diesen, wo allen die Angst um den Arbeitsplatz in den Knochen sitzt, wird Widerspruch immer schwieriger zu handhaben.

(Ich halte das übrigens für eines der ganz großen Probleme unserer Gesellschaft – und für ein höchstgefährliches. Wenn Sie sich abends in der S-Bahn oder im Bus die Gesichter der von der Arbeit kommenden Menschen – jenseits der Müdigkeit – genauer anschauen, da werden Sie so manchem die Zeichen der »inneren Kündigung« ganz deutlich ablesen können.)

Die Kollegen wie auch die Chefs fragen sich, was wohl hinter diesem »renitenten« Verhalten stecken mag. Da es ziemlich aus der Mode gekommen ist, der Sache und nicht an erster Stelle seinem eigenen Fortkommen und Interesse zu dienen, vermuten alle, es verberge sich eine ausgefuchste Karrieretechnik dahinter.

Ich weiß nicht mehr, wie oft ich in den letzten dreizehn Jahren sagen musste: »Ich leiste mir meine Offenheit, von der ich weiß, dass sie manchmal unbequem ist, wirklich um unseres gemeinsamen Erfolges willen. Das fällt mir umso leichter, als ich nichts mehr werden will, was ich nicht schon bin. Ich habe meinen Traumjob schon.« Ich weiß heute: Die meisten haben es mir nicht geglaubt.

Ich habe aber eindeutig festgestellt und immer wieder erlebt, dass man mit Offenheit nicht nur besser in Frieden mit sich selbst leben kann, sich nicht dauernd verfärben und verstellen muss wie ein Chamäleon, sondern dass man damit auch einiges durchsetzen und verändern kann, was man für wichtig hält (Irrtum immer eingeschlossen). Das betrifft nicht nur Berufliches. Sie haben das doch sicher auch schon erlebt: Eine mehr oder weniger nahe stehende Person hat Mundgeruch oder riecht stark nach

Schweiß. Alle drücken sich davor, mit dem Betreffenden zu reden, zerreißen sich aber kräftig das Maul darüber. Feinde werden nichts sagen, denn ihnen ist alles lieb, was den Gegner herabsetzt. Daraus ergibt sich logisch: Wer schweigt und hinterrücks lästert, benimmt sich wie ein Feind. (Aber wer redet, riskiert, von demjenigen, mit dem man's gut meint, zum Feind erklärt zu werden.)

Eines Tages kam eine Lektoratskollegin zu mir in die Presseabteilung und fragte mich, ob ich für ihren Verlag nicht ein Buch über Chefs und den Umgang mit ihnen schreiben wolle. Wir haben oft über unsere Bosse diskutiert, über die Folgen ihrer manchmal merkwürdigen, unverständlichen und arbeitsbehindernden Entscheidungen, und sie wusste, dass ich dazu recht klare, im Alltag »kampferprobte« Ansichten hatte. Ein kritisches Buch über Chefs, ausgerechnet in einem der Verlage, für die ich arbeitete – das war ja so, als würde man einer Maus den Schlüssel für die Tür eines Käsegeschäfts in die Pfote drücken!

Ich sagte voller Vorfreude auf das Schreiben spontan zu, doch als ich am Abend meinem Mann davon erzählte, trübte er meine Euphorie kräftig ein: »Wann willst du denn auch das noch machen?«

Da war was dran. Ich hatte mir beim Nachhausefahren einen Buchtitel zurechtgelegt, den ich zwar für zugkräftig hielt, der aber meines Erachtens beim Verlag kaum durchkommen würde: »Mein Chef ist ein Arschloch, Ihrer auch? Ein Überlebenstraining«. Auf diesem Titel zu bestehen, schien mir nun die richtige Abwehrstrategie zu sein, um den im Übereifer zugesagten Auftrag am schnellsten wieder loszuwerden. Dachten wir. Aber weit gefehlt. Er wurde auf Anhieb, ja sogar mit Freude akzeptiert.

Dann passierte eine Weile gar nichts. Ich schrieb an den Sonntagen und im Sommerurlaub und lieferte das Manuskript pünktlich ab. Inzwischen hatte sich meine Autorschaft herumgesprochen, das Buch stand in den internen Programmlisten, natürlich wussten auch meine Mitarbeiterinnen Bescheid, und ab und an lief mal jemand an mir vorbei, grinste und hob den Daumen zum Siegeszeichen. Aber kein Mensch aus den oberen Etagen sprach mich je darauf an oder machte auch nur eine Andeutung. Nicht, dass ich scharf auf Diskussionen gewesen wäre, aber es wunderte mich ein wenig. In einem Haus mit vielen Verlagen und noch mehr Chefs wäre doch eigentlich zu erwarten gewesen, dass irgendeiner die Verantwortliche für Presse- und Öffentlichkeitsarbeit fragt, was sie sich bei dieser Provokation gedacht habe. Schon allein wegen der Außenwirkung und der zu erwartenden Branchenblödelei. Merkwürdig.

Inzwischen hing schon der Ausdruck des Schutzumschlags an meiner Pinnwand und der Versand des Katalogs, in dem das Buch offiziell präsentiert wurde, stand kurz bevor. In diesen Tagen sagte sich unser neuer New Yorker Boss an. Er wollte die Verleger und Abteilungsleiter unserer Verlagsgruppe kennen lernen. Unser Chef begleitete ihn in die einzelnen Büros und stellte seinem Boss seine Führungskräfte vor. Als die beiden in meinem Büro waren, prangte nun ausgerechnet der Chefbuchumschlag, den ich einen Tag zuvor bekommen hatte, unübersehbar in einem knalligen Rot wie eine Verkehrsampel an der Wand.

Zuerst stellte sich mein Vorgesetzter unauffällig davor, um das provokante Ding abzudecken und aus dem Blickfeld des hohen Besuchs zu nehmen. Nach einer Weile wurde es ihm aber zu dumm. Er packte den Stier bei den Hörnern, trat zur Seite und wies direkt darauf hin: »Schauen Sie mal, was unsere Kollegin für unseren Verlag XY geschrieben hat!«

Big Boss erhob sich, trat näher heran, verharrte eine Weile in Betrachtung versunken davor, drehte sich dann grinsend zu mir um, hob die entsprechende Anzahl Finger und meinte: »Zwei Exemplare davon für mich!«.

Das Buch wurde ein großer Erfolg, und ich hatte nicht die geringsten Schwierigkeiten, den Journalisten bei Interviews auf entsprechende Fragen klar zu machen, dass es nicht speziell um meine Vorgesetzten ging, sondern um eine Schilderung des Fehlverhalten von Chefs im Allgemeinen und darum, wie Betroffene damit umgehen sollten. Am Ende kam dabei sogar – als Nebeneffekt – eine gute PR für die Führungskräfte speziell unseres Hauses zustande, die solche Provokationen anscheinend gelassen ertragen konnten, weil sie sich nicht betroffen fühlen mussten. (Dass nicht jeder der zahlreichen Chefs des großen Unternehmens damit so locker umging, wie die Nummer eins das tat, ist auch klar. Aber von denen wurde wohlweislich eisern dazu geschwiegen.)

Alle Berufstätigen haben schon mal erfahren, dass es auch eine ganze Menge positiver Eigenschaften gibt, die in Firmen ungern gesehen werden. Als da wären: jede Form von Temperamentsäußerungen, Nachfragen aufgrund schwiemeliger oder sogar widersprüchlicher Anweisungen und – am allerschlimmsten – Widerspruch. Firmenleitungen, die ihren Leuten diese gesunden Lebenszeichen aberziehen, die im Regelfall nichts anderes als Beweise für Verantwortungs- und Zugehörigkeitsgefühl, für Engagement zugunsten der Firma und ihrer Mitarbeiter (ohne die es gar keine Firma gäbe) sind, graben sich selbst das Wasser ab. In einem lebendigen Geschäft muss auch außerhalb von Feiern gelegentlich mal ein Lachen, ein Fluch oder eine knallende Tür zu hören sein. Solche urmenschlichen Laute und Geräusche widersprechen dem Gebot der Sachlichkeit in gar keiner Weise.

Im Gegenteil. Beim Gang über die Flure einer Firma lässt sich für einen fremden Besucher am besten erkennen, welcher Geist in ihr herrscht. Totenstille und gähnende Verlassenheit wie in Kafkas Schloss lassen darauf schließen, dass der Laden nicht läuft oder seine Mitarbeiter verschüchtert sind und sich daher mucksmäuschenstill ducken. Überwiegend leere Büros mit klingelnden Telefonen, die niemand abnimmt, und das womöglich am helllichten Nachmittag, signalisieren, dass die Arbeit nicht richtig eingeteilt ist, sonst könnten nicht so viele auf einmal Urlaub haben oder Gleitzeiten nehmen. Hektisches Herumgerenne auf den Gängen gibt allerdings auch kein sehr viel günstigeres Bild ab – auch hier stimmt etwas mit der Führung nicht. Leute, die in solcher Atmosphäre arbeiten müssen, sind bestimmt nicht ausgeglichen und zufrieden, was ihren Berufsalltag betrifft. Und wer das nicht ist, kann keine optimalen Leistungen erbringen, was sich wiederum schlecht auf das Firmenergebnis auswirkt.

So entstehen Negativspiralen ohne Ende, und manchmal kann man sich des Eindrucks nicht erwehren, dass diese demotivierenden Zustände in den letzten Jahren überhand genommen haben.

Aber jeder kann die Signale hören. Der Moment, in dem Sie merken, dass Sie sich nicht mehr auf jedes Meeting freuen, weil der dort vorherrschende Leerlauf und die damit verbundene undisziplinierte Zeitverschwendung an den Nerven zerren, nicht zuletzt deshalb, weil auf dem eigenen Schreibtisch inzwischen zahlreiche wichtigere Sachen »anbrennen«, dieser Moment ist wichtig. Es ist nämlich genau der Zeitpunkt, an dem man loslassen und beispielsweise endlich aufhören kann, die eigene Bedeutung daran zu messen, ob man zu jedem Workshop eingeladen ist. (Wissen Sie noch: »Wenn der Chef nicht mehr weiterweiß, bildet er den dritten Arbeitskreis«?)

Hunderte von Tagungshotels – natürlich in schöner Umgebung – leben davon, dass Führungskräfte wie beim Skifahren (für den Lift) Zehnerblocks für Workshops lösen, um dort ihre müde gewordene Truppe bunte Kärtchen beschriften zu lassen. Unter dem fadenscheinigen Deckmäntelchen betrieblicher Demokratie und Teamarbeit sollen sich quasi die Zungen der Blockierten lösen. So erkennt man Abweichler. Der Trainer übersetzt das

Ganze in politisch korrekte Formulierungen, die den so kritisierten Umständen und den dafür Verantwortlichen nicht wehtun.

Abgebrühte Workshopkenner ziehen bei solchen Gelegenheiten im Angesicht ihrer Chefs längst die Nummer des – mehr oder weniger – heiteren »Darüberstehens« ab, spielen mit, tun als ob, machen sich aber insgeheim oder auch offen über diejenigen lustig, die tatsächlich noch glauben, dass die an die Stellwände gepinnten Veränderungserkenntnisse am Schluss der Kreativtagung in naher Zukunft auch tatsächlich umgesetzt werden. (Das Spiel wird übrigens auch in Chefetagen gespielt. Ganze Bataillone von McKinseys und anderen Unternehmensberatern wurden von den zwangsberatenen Bossen schon dadurch ausgespielt, dass man ihnen ihr angestrebtes Ziel freiwillig an die Wand gemalt hat – bevor die Befragung des mittleren Managements oder gar der Sachbearbeiter all zu viele Führungsfehlleistungen an den Tag bringen konnte. Nach dem Motto: Wir haben verstanden! So bringt man die feindlichen Truppen am schnellsten zum Abzug.)

So ist es natürlich nicht immer und nicht bei allen. Aber ständige Workshops legen den Verdacht der reinen Beschwichtigungsnummer nahe. Denn irgendwann müsste mit Hilfe dieses Klärungsinstruments ja der gewünschte Zustand eintreten und für eine Weile anhalten, oder?

Wer diese Strategien einmal durchschaut hat, ist in der Lage, eine neue Gelassenheit zu entwickeln. Sie allein ist es nämlich, die uns zum freien Menschen macht. Sie werden sehen – nicht nur ich habe es erlebt –, diese Momente kommen jetzt, mit zunehmender Erfahrung und dem dadurch geschärften Blick auf Realitäten, immer öfter und Sie sollten sie feiern.

Feiern aus zweierlei Gründen: Erst jetzt sind Sie ein wirklich wertvoller Mitarbeiter für Ihre Firma geworden. Erst wenn es Ihnen egal ist, ob wieder einmal das Küchenkabinett der Gschaftlhuber tagt und Sie irgendeinen sowieso belanglosen Firmenklatsch nicht gleich in der Entstehungsphase mitkriegen, erst dann können Sie sich Ihrer beruflichen Sache sicher sein. Erst dann werden Sie am Abend nach Hause gehen, ohne sich mit Firmenkram – egal ob psychisch oder physisch – zu belasten. Sie werden die Freude kennen lernen, ein nicht von anderen getriebener, sondern ein unabhängiger Mitarbeiter zu sein. Aufmerksam, konzentriert und wirklich sachbezogen. Jeweils ganz bei sich, ob in der Firma oder privat. Ungeteilt. Aller Druck ist weg und alle Wege stehen offen. Und vielleicht entdecken Sie jetzt Seiten und Talente an sich, die Sie nie für möglich gehalten hätten.

Aber nicht nur das: Es ist sogar sehr wahrscheinlich, dass Ihnen einfällt, wie Sie diese Talente und verborgenen Wünsche endlich umsetzen können. Tausende haben ihr Wissen und Können erst in mittleren Jahren richtig einschätzen gelernt und diese Erkenntnis für einen Neubeginn genutzt. Denken Sie nur mal wieder an das Motto der Bremer Stadtmusikanten: »Etwas Besseres als den Tod finden wir überall.« Im übertragenen Sinne – warum soll man im bezahlten Stillstand oder in unkreativem Stress verharren, wenn es doch die Möglichkeit gibt, seinen Unterhalt auch mit Freude und Lust am Leben zu verdienen?

Schauen Sie sich nach Gleichgesinnten um, wenn Sie nicht der Typ des Einzelkämpfers sind. Sie werden staunen, wie viel vorhandene Ideen und Energien sich zu etwas Neuem bündeln lassen. Wer, wenn nicht wir, die wir im »Hoch- oder Spätsommer« unserer Lebenszeit angekommen sind, könnte – und sollte – ernten, was wir selbst in uns gesät haben. Lebenswünsche, und seien sie noch so verschüttet, sind dazu da, gelebt zu werden. Dafür ist es nie zu spät – ich habe es, so wie viele, viele andere, erlebt.

Seit ich täglich von Politikern und allerhand Experten und Marktschreiern über sämtliche Medien zum Kaufen und Konsumieren aufgefordert werde, habe ich irgendwie keine rechte Lust mehr dazu. Es mag natürlich auch daran liegen, dass man ab einem bestimmten Alter eigentlich so ziemlich alles hat. Unsere alte Waschmaschine hat irgendwann den Geist aufgegeben (was auch nicht am Calgon-Mangel lag, sondern einfach daran, dass sie nach fünfzehn Jahren ihr Bestimmungsalter erreicht hatte) und ist längst durch ein windschnittiges, computergesteuertes Modell ersetzt. Kühlschrank und Herd sind ebenfalls noch nicht überfällig, der Fernseher ist immerhin ein skandinavisches Designermodell (das sogar zur Farbe des Teppichbodens passt!), hat eine Großschirmbildfläche und wird wohl noch (toi, toi, toi!) so lange halten, bis die beamerähnlichen Flachvarianten für die Wand dereinst zu einem für Normalbürger erschwinglichen Preis zu haben sind. Das Auto ist zwei Jahre alt (oft gelobt, ja sogar auf gewisse Weise geliebt und daher eine Art »Familienmitglied«, und wird uns schon aufgrund guter Behandlung noch etliche Zeit treu bleiben), der DVD-Player niegelnagelneu. Letzterer wird allerdings demnächst Konsum nach sich ziehen, weil die Filmsammlung erst in den Anfängen steckt. Auch die Hörbuchverlage können sich auf uns freuen: Für die Bibliothek sind aus Platzgründen strengere Regeln erlassen worden und alles, was diesen Kriterien nicht entspricht, wird künftig bei langen Autofahrten gehört werden. Der Wäscheschrank ist (teilweise noch mit Aussteuerqualität) voll, die

Geschirrschränke auch, die reichlich vorhandenen Küchenmaschinen werden zum Teil nicht einmal oft genug genutzt ... also eigentlich weiß ich nicht so recht, was wir derzeit für die Wirtschaft tun könnten.

Vielleicht mangelt es aber auch nur an intelligenten, interessanten Produkten? Ich muss allerdings zugeben, dass ich moderner Technik gegenüber schon von jeher höchst misstrauisch war. Es dauert immer ein bisschen, bis ich warm mit ihr werde. Aber wenn, dann kann ich sogar manchmal zum missionarischen Eiferer mutieren. Wie lange habe ich mich beispielsweise gegen einen Computer gewehrt? Heute bin ich traurig darüber, dass ich meine Mutter nicht davon überzeugen kann, dass sie mit seiner Hilfe ständig in Kontakt mit ihren auf der ganzen Welt verstreuten Freunden sein könnte.

Meine eigene ursprüngliche Computerfeindseligkeit resultierte aus einer seltsamen Mischung aus Faulheit (schon wieder eine unlesbare, komplizierte Gebrauchsanweisung lesen und verstehen zu müssen) und Versagensängsten (es vielleicht nicht schnell genug zu kapieren und dauernd jemanden um Hilfe bitten zu müssen). Denn Gebrauchsanweisungen sind meine natürlichen Feinde. Als ich einmal drei Stunden brauchte, um zu kapieren, was der Satz »Und dann schalten Sie die Macht aus« bedeutet, und ich mit dieser kryptischen Formulierung immer wieder gedanklich bei *Star Wars* landete, obwohl ich doch nur eine Farbpatrone in einem Faxgerät austauschen wollte, war ich kurz davor, Harakiri zu begehen. (Oder wären Sie auf Anhieb darauf gekommen, dass ein Genie *Power* in diesem Zusammenhang statt mit *Strom* mit *Macht* übersetzt hat?) Kurzum – gegen den Computer wehrte ich mich einige Zeit mit der recht rückständigen und vor allem arroganten Chefattitüde, dass es reiche, wenn meine Mitarbeiter welche hätten. Und dass ich hausinterne Korrespondenz per E-Mail für seelenlos, kalt und daher für unkommunikativ hielte.

Als es sich endgültig nicht mehr vermeiden ließ (unser damaliger Big Boss war ein Schwert schwingender Vorkämpfer der New Economy und ordnete an, dass jeder Mitarbeiter des Konzerns mit der Welt verkabelt werden und auch privat einen Computer besitzen müsse) und ich eines Tages nach meinem Urlaub so ein schönes, schlankes Notebook auf meinem Schreibtisch liegen hatte, zusammen mit einer DIN-A4-Seite »How to use my Computer« (von meiner Sekretärin liebevoll und höchst verständlich geschrieben, so dass sogar mein technikangstvernebeltes Hirn bereit war, es nachzuvollziehen), konnte ich nicht ahnen, dass ich unserem IT-verliebten Chef damit die arbeitstechnische Basis für meinen zweiten und letzten Ausstieg aus dem Angestelltendasein und meine neue Selbstständigkeit zu verdanken hatte. (Ohne Computer könnte ich meine literarische Agentur, also meinen neuen Beruf, nicht betreiben.) Das Erstaunliche geschah: Ich habe mich schlagartig in diesen Zauberkasten verliebt. Das ist noch keine zehn Jahre her – es ist also nie und für niemanden je zu spät.

Mein Rat an alle Menschen, egal welchen Alters, auch an diejenigen, die nicht in einem Büroumfeld arbeiten:

Investieren Sie unbedingt das bisschen Zeit, um sich mit diesem Kommunikationsmittel vertraut zu machen. Es ist einfach wunderbar, morgens nicht nur seine eigene Zeitung lesen, sondern auch alle anderen Printmedien via Internet besuchen zu können – wenn man es will und sich die Zeit dafür nehmen kann. Zu schauen, wie das Wetter in Neuseeland ist, wo die beste Freundin gerade Urlaub macht. Oder bei Ebay einen spannenden Versteigerungsvorgang zu verfolgen oder mal schnell über Google in einem elektronischen Lexikon nachzuschauen, wie man den alten Römer Marcius Terentius richtig schreibt (der behauptet, dass schon zu seiner Zeit, etliche Jahre vor Christi Geburt, 288 Lehrmeinungen über das Wesen des Glücks existierten). Wann am Münchner Ostbahnhof Züge nach Venedig abfahren, wie die Telefonnummer von »Geisels Vinothek« lautet, weil man für den nächsten Abend einen Tisch bestellen will, wie die diesjährigen Nobelpreisträger heißen, wann Thomas Bernhards Roman »Holzfällen« erschienen ist und welche Stücke gerade auf dem Broadway gespielt werden. Es gibt eigentlich keine Fragen, keine Informationen, die man nicht über das weltweite Netz relativ rasch beantwortet bekommt. Was täte ich beispielsweise nur ohne das internationale Buchantiquariat ZVAB, wohin jede Woche mindestens eine elektronische Buchbestellung abgeschickt wird. Es ist immer ein Hallo, wenn der Briefträger das gewünschte Päckchen zwei Tage später an meiner Haustür abliefert.

Elektronisch zu kommunizieren, hat natürlich auch ein

paar Nachteile. Ich war vor dem virtuellen Zeitalter beispielsweise auch im Beruflichen eine exzessive Brief-
schreiberin – mit der Hand. Was in unseren modernen
Zeiten sehr auffällig war, von den meisten Empfängern als
große Zuwendung empfunden und mit Aufmerksamkeit
für den Inhalt meiner Post belohnt wurde. Handgeschrie-
benes ist auch bei mir aufgrund der E-Mail-Schreiberei
nicht mehr angesagt, ich muss es zugeben. Dafür – sozusagen als Ausgleich – entwickelt sich beim Schreiben von
elektronischer Post ein sehr interessanter, ganz neuer
Ausdrucksstil, der zwischen Schreiben und Sprechen liegt
und bei intensiverem Kontakt sogar Freundschaften mit
Unbekannten, noch nie gesehenen Menschen begründen
kann.

Sicher ist jedenfalls, dass diese neue Form des Kom-
munizierens den Riesenvorteil mit sich bringt, dass man
Korrespondenzen konzentrierter und sehr viel schneller
erledigen kann und dadurch unendlich viel Zeit für andere Dinge gewinnt. Immer vorausgesetzt, man lernt
rechtzeitig, Infomüll von Wesentlichem zu unterscheiden.
Als ich in meinem ersten Computerjahr aus dem Urlaub
zurückkam und über tausend E-Mails im Kasten vorfand,
traf mich fast der Schlag. Die Schnelligkeit dieser Brief-
form verführt so manch einen Partner, jeden Gedanken,
der ihm durchs Gehirn schießt, es aber früher nicht wert
gewesen wäre, dass man einen Briefumschlag adressiert
und zum Postkasten marschiert, sofort und unüberlegt
loszuschicken. Es nützt jedoch sehr, wenn man sich selbst
diszipliniert und beispielsweise auf lange Mail-Episteln

möglichst kurz antwortet – das Signal wird meistens verstanden.

Auch ein anderes Produkt, das die Wirtschaft enorm in Schwung hält, habe ich zu Unrecht lange Zeit mit Vehemenz abgelehnt: das Handy. »Nur Dienerschaft hat jederzeit und überall erreichbar zu sein und die Zeiten sind Gott sei Dank vorbei!«, lautete mein trotziges Abwehrargument. Die mitleidigen Blicke, die mich als hoffnungslosen *Hillbilly* einstuften, waren mir lange Zeit egal. Und auch in diesem Fall hat mich die Realität eingeholt. Wer viel unterwegs ist, kann sich einfach nicht allein auf den Anrufbeantworter verlassen. Und wer vor einer wichtigen Verabredung schon einmal im Stau steckte oder mit seinem Auto auf einsamer Landstraße liegen geblieben ist, flicht dem Handy jeden Lorbeerkranz. Ich empfinde es allerdings auch heute noch als enorm rücksichtslos und enervierend, wenn in einem Lokal plötzlich Big Ben schlägt, Beethovens Neunte in enormem Missklang ertönt oder »When the Saints go marchin' in« alle erstarren und ihr Besteck vor Schreck fallen lässt, weil irgendein Wichtigtuer selbst beim Essen seinen geschmacklosen Klingelton beziehungsweise sein Handy nicht abzustellen bereit ist.

Wenn einem das selbst ein- oder zweimal passiert ist,

zieht man schnell seine Lehren daraus. (Beim ersten Mal klingelte mein Nervtöter mitten in einem Vortrag, dem etwa hundert Leute höchst gespannt lauschten und sich angesichts der Störung alle prompt empört zu mir umdrehten. Was die Sache komplizierte, weil ich nun vor lauter puterroter Aufregung das plärrende Ding in meiner Handtasche nicht schnell genug finden konnte. Das zweite Mal geschah es bei einer Trauerfeier, worauf ich keinesfalls näher eingehen will. Spätestens nach derart peinlichen Vorfällen hat man gelernt, dass auch die Nutzung moderner Technik einer gewissen Sozialisierung zu unterwerfen ist.) Man muß es sich dringend selbst beibringen: Jedes Handy hat einen Knopf zum Ausschalten (mit dem man ihm sozusagen die *Macht* abdrehen kann).

Die praktische Erfindung des Mobiltelefons verführt allerdings viele Menschen zu ständigem, höchst undiszipliniertem (meist überflüssigem) Geschwätz: Handygespräche an Straßenbahnhaltestellen oder von Vorüberhastenden anzuhören, ist manchmal geradezu grotesk: »Ich bin in einer Minute da!« (Ist das mitteilenswert? Wegen der einen Minute?) »Ich bin am Flughafen, das Boarding hat gerade begonnen, die nächste Stunde, während des Fluges, kannst du mich also nicht erreichen. Ich melde mich, sobald ich gelandet bin!« (Mein Gott, der Mann ist eine ganze Stunde nicht erreichbar! Wenn darüber mal nicht die Welt untergeht!) Die Italiener beispielsweise rufen zu Hause an und sagen: »Butta la pasta«, was so viel heißt wie: »Du kannst die Spaghetti jetzt ins Wasser werfen!« (Die Ankündigung, dass man zu dem Zeitpunkt, zu dem Nudeln al dente gekocht sind, zu Hause sein wird und erwartet, dass das Essen dampfend auf dem Tisch steht, hört sich zwar machohaft an, hat aber ja immerhin noch einen gewissen Nutzwert.)

Wenn ich mir überlege, wie oft ich beim technischen Fortschritt eine Verweigerungshaltung eingenommen und – zu meinem eigenen Nutzen – nicht durchgehalten habe, bin ich künftig wahrscheinlich doch noch ein ganz interessanter Kunde. Da gibt es noch einiges Gerät, das wohl demnächst angeschafft werden muss. Ein Scanner beispielsweise, um Dokumente und Fotos per Internet versenden zu können. Auch meine Einstellung »Im Urlaub kein Computer und keine E-Mails« wird sich auf Dauer nicht durchhalten lassen (zumal ich meine vorsintflutliche Methode, die Rohfassungen meiner Manuskripte zunächst mit der Hand zu schreiben, längst aufgegeben habe und auch dafür den Computer nutze). Nicht etwa deshalb, weil ich in den wenigen italienischen Wochen dauernd arbeiten will. Im Gegenteil: Weil ich künftig länger bleiben kann, wenn ich gelegentlich arbeite. (Es gibt schlechtere Arbeitsplätze als eine italienische Terrasse, oder?)

Wir Erwachsengewordenen sind übrigens diejenigen Kunden, die den Werbetreibenden am meisten Kopfzerbrechen machen. Einerseits haben wir genügend Geld, an das sie ran wollen. Andererseits aber unterstellt man uns Markentreue, so dass wir schwer für neue Produkte »abzuschöpfen« sind. Das mit der Markentreue stimmt, hat es doch durchaus auch politische und kulturelle Gründe. Ich wechsle beispielsweise mein Kosmetikmarke schon deshalb nicht, weil ich dann halbwegs sicher sein kann, dass aufgrund meiner »Kaufkraft« keine neuerlichen Tierversuche gemacht werden. Und ich vermeide auch Schnäppchenkäufe, weil ich weiß, dass diese Preisdrückerei und das »Geiz ist geil«-Prinzip nur Arbeitsplätze kostet und den ausgenutzten Arbeitern in den so genannten Billiglohnländern nicht einmal wirklich hilft. Es sichert maximal ihr Dahinvegetieren, mehr aber auch nicht.

In unserem Alter muss man eins und eins zusammenzählen können. Es genügt nicht, Nachrichten zu hören und den Politikern bei ihrer Hilflosigkeit zuzuschauen. Wir alle können durchaus etwas tun. Man kann sich sehr genau aussuchen, wo man einkauft. Und ich verstehe zwar, dass Leute, die kein Geld haben, auf Billig-T-Shirts und preiswerte Möbel vielleicht angewiesen sind – aber wir, denen es gut geht, sollten beim Einkaufen eine kritische politische Brille aufsetzen. Man muss einfach wissen, dass etwa jene Unternehmen, die uns Verbraucher »leben« und nicht nur »wohnen« lassen wollen, keinen Beitrag zum Gemeinwohl leisten, sprich: zwar unser Geld einnehmen, aber keine Steuern bei uns zahlen (während mit unseren privaten Steuergeldern millionenteure Autobahnausfahrten und Erschließungskosten für sie finanziert werden; sonst – so drohen sie den Gemeinden – stellen sie ihren Schuppen eben auf eine andere grüne Wiese).

Wie mächtig wir Verbraucher sein könnten, probieren wir leider viel zu selten aus. Obwohl wir es doch so manches Mal erfahren haben. Man denke nur daran, wie die deutschen Hausfrauen den Einkauf von südafrikanischem Obst und Gemüse boykottierten. Das hatte zumindest einen kleinen Anteil an der Aufhebung des Apartheidsystems in diesem Land. Steter Tropfen höhlt den Stein.

Ich kaufe prinzipiell keine Produkte, die im Fernsehen in dümmlichen Spots beworben werden. Verzweifelte Hausfrauen im Dialog mit Kalkfahndern in Sachen »Hilfe, meine Waschmaschine leckt!«, gelbe Riesenfrösche, die irgendwas mit billigem Strom zu tun haben (und in mir solche Aggressionen wecken, dass ich mich über mich selbst wundere: Ich könnte diesem Frosch eins überbraten, wenn ich ihn nur auf dem Schirm auftauchen sehe!), oder junge Frauen, die sich auf einer Parkbank sonnen und in Zwei-Liter-Plastikbehältern ihr Waschmittel mit sich herumschleppen, um dadurch die Farbintensität ihrer belanglosen Blusen zu belegen – mein Gott, wie langweilig und nervtötend. Ich hasse es, so wie Sie sicher auch, wenn man mich unter Niveau anspricht, meinen Geschmack und meinen Verstand beleidigt und mich für dumm verkaufen will. Kaufen und Verkaufen ist die Kunst des Gebens und Nehmens und nicht die des Abzockens, die immer einen Dummen voraussetzt.

Dabei bin ich keineswegs ein Verächter guter Werbung.

Ganz im Gegenteil. Die Filme der »Cannes-Rolle« – eine Auslese der prämierten internationalen Werbespots – schaue ich mir mit dem allergrößten Vergnügen an. Gute Werbeleute sind Künstler. Zeitgeistjongleure mit Worten und Bildern. Herrliche Spinner mit Witz, Charme und Humor. Wenn man sie denn lässt. Denn dass es ihre Aufgabe ist, zu beeinflussen und vielleicht sogar zu manipulieren, ist ja niemandem unbekannt und kann ihnen daher auch nicht zum Vorwurf gemacht werden.

Werbung ist zumindest sauber ausgewiesen – ich ziehe sie dem Lobbyismus, der sich im Verborgenen abspielt, bei weitem vor. (Man sollte genau hinschauen, wer in Schulen Veranstaltungen mit Kindern beispielsweise unter dem Motto »Wozu brauchen wir Geld?« veranstaltet. Wenn eine Zehnjährige nach so einem spielerischen Kinderworkshop auf die Frage eines Journalisten, wie lange die Lebensarbeitszeit bei uns in Deutschland sein sollte, antwortet »Bis sie nicht mehr können«, fahre ich alle Alarmantennen aus. Woher hat ein Kind eine solche Ansicht, wer war denn da meinungsbildend am Werk?) Gegen Lobbyismus können wir uns als Verbraucher nicht ohne Hilfe von engagierten Journalisten wehren, weil es sich um einen Pakt handelt, der zwischen Interessenvertretern und Politikern geschlossen wird und für uns nicht einsehbar ist. Aber die Seriosität von Werbung ist halbwegs durchschaubar und deshalb einzuschätzen.

Wer wissen will, wie ein Land – zumindest nach Ansicht seiner Werbetreibenden – »tickt«, sollte sich dessen Werbefernsehen anschauen. (Dann weiß man auch, was in den Köpfen seiner Unternehmer vorgeht, denn die sind es schließlich, die das letzte Wort in Sachen Werbeinhalt und -form haben.) Und es geht daraus hervor, wie es um den Faktor Humor steht, das heißt, worüber in diesem Land gelacht wird. (Da schaut es trist aus in Deutschlands Werbelandschaft. Gelegentlich wird mit Schadenfreude gearbeitet, aber zum Lachen wird man selten gebracht.)

Ich erinnere mich an einen – im wahrsten Sinne des Wortes – umwerfenden, ausländischen Werbestreifen für ein Atemspray: Eine große Dogge liegt in einem Wohnzimmer schlafend auf einem Teppich. Da hört man, wie sich ein Schlüssel im Schloss dreht. Der Hund hebt den Kopf, spitzt die Ohren, springt auf – Herrchen kommt nach Hause. Der Hund sprintet zur Haustür, in der ein Mann mit Hut, Trenchcoat und einem Aktenkoffer erscheint. Der Hund springt an Herrchen hoch, legt ihm die Pfoten links und rechts auf die Schulter, hechelt ihm mit heraushängender Zunge ins Gesicht und wedelt ausgiebig mit dem Schwanz. Der Mann freut sich auch, lacht und spricht mit dem Hund – woraufhin der ohnmächtig umfällt. Und dann wird das Atemspray eingeblendet. Nichts gegen Fisherman's Friend, aber die Hundenummer ist natürlich wesentlich amüsanter als das Splish-splash der Riesenwelle.

Es macht ein bisschen Arbeit – aber noch mehr Freude –, die Systeme und Funktionsweisen der Warenwelt zu durchschauen. Im Lauf der Zeit zwei und zwei zusammenzählen zu können und sich von niemandem über den Tisch ziehen zu lassen, ist ein ausgesprochen gutes Gefühl. Dass Schnäppchen und Billigheimerangebote die Qualität der Waren andauernd senken und auch zur Reduzierung der Auswahlmöglichkeiten führen, kennen wir alle aus Erfahrung. Für erfahrene und aufmerksame Menschen liegt das auf der Hand. Dieses sich schnell drehende System der Gesamtverschlechterung lernt man im Lauf der Zeit mühelos zu durchschauen.

Wer einigermaßen bei Trost ist, kauft kein abgepacktes Fleisch im Supermarkt. Er weiß, dass die Lampen über der Fleischtheke ein Licht verbreiten, das der Warenoberfläche ein frisches Aussehen verpasst, während die Unterseite des Schnitzels aschfahl auf dem Plastikbehälter lagernd der Enttarnung harrt. Die böse Überraschung kommt erst beim Auspacken zu Hause an den Tag, denn wie's da drin aussieht, geht – zumindest im Moment des Zugreifens – niemanden was an. Deshalb: Fleisch kauft man beim Metzger seines Vertrauens (und für wen das eine Geldfrage ist, der sollte lieber einmal auf Fleisch verzichten, bevor er sich auf schlechte Qualität einlässt!) und Brot beim Bäcker. Sonst werden wir eines Tages auch einen Vertreter dieser Berufe in der TV-Dokumentation »Der Letzte seines Standes« bestaunen können. (Politiker führen so gerne die Argumentation im Munde, dass wir unseren Kindern eine intakte Umwelt zu hinterlassen haben. Das gilt in meinen Augen auch für kulturelle Errungenschaften wie beispielsweise das Können unserer Handwerker.)

Ich mache mir in letzter Zeit geradezu ein Vergnügen daraus, die neuesten Abzockermethoden zu enttarnen. Wenn Ihnen beispielsweise unaufgefordert Faxe ins Haus schneien, die meistens in schlechtem Deutsch und zudringlich-vertraulichem Ton verkünden, dass das berühmte »Rasenhofgeflügel« jetzt auch bei Aldi um die Ecke zu haben ist, aber unter dem Namen XYZ, und irgendein »Meinweich-Sekt« ebenfalls unter Pseudonym bei Lidl auf Sie lauert, natürlich beides zu einem Preis, den man nachgeschmissen nennen könnte, dann schlagen, besser gesagt faxen Sie zurück (so viel Zeit muss sein) und verbitten Sie sich diese Art von Belästigung. Notfalls unter Androhung anwaltlicher Hilfe.

Ich hab sowieso noch nie verstanden, was für gut verdienende Leute so witzig daran ist, ihren Champagner bei Billigketten zu kaufen (deren Publikum sie ansonsten unverhohlen verachten), während sie mit ihrem letzten Wochenendtrip in die Champagne angeben. Das kommt mir ein bisschen so vor, als genieße da jemand den Adrenalinstoß, der sich nach einem erfolgreichen Raubzug einstellen mag. Und wenn Ihnen das nächste Mal ein gelernter Callcentertelefonierer ins Ohr säuselt, dass Sie zu den Glücklichen gehören, die ausgelost wurden, um beim Spiel um den Millionenjackpot mitmachen zu dürfen (das stelle man sich einmal vor: Da wird einem beim Abendessen mitgeteilt, man habe schon gewonnen, weil einem

»erlaubt« wird, ein Los zu kaufen!), dann machen Sie sich einen Jux: Beim letzten Anruf dieser Art bedankte ich mich herzlich und teilte dem Überbringer der Botschaft mit, dass ich kein Los bräuchte, weil ich ohnedies sehr vermögend sei. Der Anrufer – eigentlich auf Emotionslosigkeit trainiert – war stocksauer und meinte, veräppeln könne er sich selbst, bevor er wütend auflegte. Endlich waren die Rollen mal richtig verteilt.

Die nächste Stufe der Unverschämtheit ist aber längst erklommen. Inzwischen sprechen die Abzocker gar nicht mehr selbst ins Telefon, sondern lassen Tonbänder laufen. Eines Tages wird es noch so weit kommen, dass wir per Gesetz oder mit vorgehaltener Pistole zum Kaufen gezwungen werden. Aber bis dahin sollte mit Köpfchen gearbeitet werden.

Wie halten Sie es eigentlich mit den privaten Fernsehsendern? Wobei ich mir vorstelle, dass Sie nicht zu den Voyeuren gehören, die sich getürkte Überlebenskämpfe im Dschungel oder gruppendynamische Selbstentblößung im Container reinziehen. Und sicher sind Sie auch nicht scharf darauf, der Operation einer Busenverkleinerung live via Bildschirm beizuwohnen oder einer strengen Supernanny beim Kinderdrill zuzuschauen. Die meisten Fernsehsüchtigen schauen sich die Programme der werbefinanzierten Sender doch wegen gut gemachter Serien oder wegen der Spielfilme an – dabei vielleicht zähneknirschend die Werbeunterbrechungen verfluchend. Denen kann man aber inzwischen auf wunderbare Weise entkommen. Denn genau dafür wurden die DVD und das entsprechende Abspielgerät erfunden. Ebenso wie das Fernsehgerät, das die Werbeblocks beim Aufzeichnen selbstständig ausblendet.

Was Verkaufsverführung betrifft, hat wohl jeder von uns seinen ganz individuellen schwachen Punkt. Bei mir sind es Parfümerien, Papeterien, Plattenläden, Blumengeschäfte und Gärtnereien, Schuhgeschäfte und besonders schöne Feinkostläden. Den Münchner Viktualienmarkt nicht zu vergessen – eigentlich jede Art von Märkten unter freiem Himmel. Die Parfümerien hinterlassen wirklich regelmäßig ihre Verlockungsspuren: Ich benutze nicht nur ein Parfüm, sondern habe an meiner Garderobe mehrere parat stehen, für die ich mich je nach Seelenlage entscheide, bevor ich das Haus verlasse. Das fordert natürlich ständig dazu heraus, den Bestand kritisch zu überprüfen und möglichst regelmäßig zu ergänzen. Die Flakons sind wunderschön anzuschauen und machen allein beim Betrachten schon gute Laune.

Noch weniger kann ich mich im Zaum halten, wenn ich schöne Papiere, Mappen und Kuverts sehe. Leider sind diese herrlichen Briefpapiertruhen kaum mehr zu finden, die mich in meiner Kindheit so faszinierten. Mit einem geschwungenen, aufklappbaren Deckel, einer Schatztruhe nachempfunden, und vielen kleinen Schubladen. (Wer mir einen Tipp geben kann, wo solche besonderen Stücke noch zu haben sind, der hätte einen Wunsch bei mir frei!) Mit besonderen, ausgefallenen Postkarten könnte ich mich stundenlang beschäftigen – genauso mit exklusivem Geschenkpapier.

In Blumenläden und Gärtnereien geht mir regelmäßig nicht nur das Herz, sondern auch mein Geldbeutel auf, und im Internet bin ich oft ganze vergnügliche Nachmittage lang auf der Suche nach Adressen und Katalogen von Blumenzüchtern mit Bestellmöglichkeit. Die Inhalte von Blumensamentütchen sind geradezu erotische Überraschungsgeschenke für mich, und an manchen Tagen kontrolliere ich fast stündlich, wie es den Keimlingen auf meiner Fensterbank in ihrem Miniglashaus geht.

Diese Pflanzen- und Blumensucht bringt im Übrigen jede Menge überraschendes Wissen mit sich. Mir ist früher beispielsweise nie aufgefallen, dass auch Blumen der Mode unterliegen. Dass etwa Hortensien – rosa und lila Prachtexemplare aus dem Garten meiner Großmutter – viele Jahre kaum mehr irgendwo zu sehen waren und seit drei, vier Jahren geradezu zum Gartenstar avanciert sind. Ähnliches gilt für die Bauernmalve oder das Löwenmäulchen, den Fingerhut und die leuchtenden Lupinen.

Sie sehen, es gibt wirklich viele Möglichkeiten, sein Geld mit Begeisterung so auszugeben, dass es auf direktem Weg in lang anhaltende Freude umgewandelt wird.

In jungen Jahren kannte ich dieses Glücksgefühl über einen selbst erfüllten Wunsch kaum. Einkaufshast und die Gier des Habenwollens überlagerten meistens den bewussten Genuss, etwas ganz Besonderes erworben zu haben. Bei den meisten Menschen überwiegen Stress- und Frusteinkäufe, hastig am Abend knapp vor Geschäftsschluss getätigt oder wenn man sich fluchtartig heimlich aus dem Büro abgesetzt hat, um sich einem Kaufrausch hinzugeben, weil man sich über etwas bis zum Bersten geärgert hat. Es war und ist auch kein Vergnügen, sich am Samstag zusammen mit tausend anderen durch die Stadt und die Geschäfte zu drängeln. Ein gutes Einkaufsgefühl stellt sich nur bei gutem Timing und ohne Erfolgszwang (das Richtige auf Anhieb finden zu müssen) ein.

Über die Jahre ist man auch in diesem Punkt klüger geworden und hat gelernt, mit Verlockungen positiver wie negativer Art richtig umzugehen. Mit das Schönste am Einkaufen und Konsumieren ist doch auch die Vorfreude. Wenn sie sich mit Gelassenheit und guter Laune mischt, dann passiert manchmal etwas ganz Großartiges: Man muss nach dem, was man möchte, gar nicht suchen, sondern es begegnet einem. Wie zufällig. Denn die wirklich schönen Sachen, jene, an denen man hängt, die man noch nach Jahren so liebt wie am ersten Tag (oder vielleicht sogar noch mehr) –, die finden uns! Nicht immer, aber immer öfter. Und wenn sie uns gefunden haben, sollte man ihnen die Hand reichen und fest zugreifen.

Uns ist einmal bei einer Antiquitätenmesse ein Bild begegnet, das uns seither nie mehr losgelassen hat. Es zeigte einen Tisch mit vier Kartenspielern – offensichtlich beim Pokern. Der Blick des Malers war von oben auf den Tisch gerichtet, man konnte nur die Hände der Spieler, die Karten und alles auf dem grün bespannten Profispielertisch sehen. Das Bild – vermutlich aus den späten zwanziger Jahren – war sehr ungewöhnlich, großformatig und teuer. Wir schlichen stundenlang darum herum. Gingen, kamen wieder, schauten – wir konnten uns einfach nicht entschließen, obwohl wir uns unübersehbar verliebt hatten. Noch heute reden wir mehrmals im Jahr von diesem Bild und dass es ein Fehler war, es nicht zu kaufen (und wären für jeden Hinweis auf seinen Verbleib dankbar). Dass es uns nicht aus dem Sinn geht, bedeutet: es wäre eigentlich für uns bestimmt gewesen.

Dass Eigentum verpflichtet, ist – wie wir alle einmal gelernt haben – im Grundgesetz verankert. Ich finde, dass auch Erfahrung verpflichtet. Denn so können wir alle die berechtigte Forderung, der Bürger müsse in Zeiten der staatlichen Geldknappheit und Globalisierung Eigenverantwortung übernehmen und entsprechend handeln, am leichtesten erfüllen. Wir kaufen nicht bei Firmen, die keine Steuern zahlen. Wir kaufen nicht bei Firmen, die ihre Preise aufgrund von Kinderarbeit in Ländern der Dritten Welt niedrig halten. Wir geben unser Geld (und unsere Stimme) niemandem, der unter Eigeninitiative versteht, dass Leute, die ein Auto haben, sich vor einer Katastrophe retten können und sich um diejenigen nicht scheren, die keines haben und wegen ihrer Armut dem Schicksal ausgeliefert sind. Wir delegieren unsere Verantwortung nicht an so genannte Volksvertreter, die den Staat mit einer Firma verwechseln und ihn genauso führen wollen.

Wir wissen, dass wir alle zusammen der viel beschworene »Markt« sind (der angeblich alles regelt) und aufgrund dieses Wissens eine große Macht haben. Wir haben es in der Hand, diese Macht klug einzusetzen, und wir sollten genau das tun.

Mindestens einmal im Monat packt mich angesichts meines Schreibtischs die Wut. Da stapeln sich Notizzettel, Manuskripte, Listen, Zeitschriften und Ausrisse aus Zeitungen, Bücher, Visitenkarten kreuz und quer, dazwischen Bleistifte und Kugelschreiber – dabei bin ich mir jedes Mal sicher, gerade erst vor ein paar Tagen Ordnung geschaffen zu haben.

Dieses selbst verursachte Chaos allein nur anschauen zu müssen, macht schlechte Laune, einen unangenehmen Druck im Kopf und höchst nervös. Und es kostet Zeit, unendlich viel Zeit, das zu finden, was man gerade sucht. Und weil es so ist, wie es ist, sucht man logischerweise dauernd etwas.

In dieser Situation hilft nur eines: eine große Kiste – am besten einen Umzugskarton – unter die Schreibtischkante stellen und mit zwei, drei Handstrichen alles vom Tisch fegen, hinein in die Schachtel. Nur mehr der Computer, das Telefon und der Drucker bleiben an ihrem Platz. (Ob von dieser Methode vielleicht die Redewendung von der »geputzten Platte« kommt?) Dann setze ich mich auf den Boden, hole Blatt für Blatt aus der Schachtel heraus und lege es auf einen von nicht mehr als drei Stapeln: »Aktuelles«, »Zu laufenden Vorgängen« und »In Computer-Ordner eingeben« – ich betone: nicht mehr als drei Stapel. (Das gilt für jede Art »Aufräumen« – egal ob es den Kleiderschrank oder den Krimskrams in der Küche betrifft. Mehr ist schon wieder der Beginn von neuem Durcheinander!) Ein großer Becher Kaffee, eine Zigarette und Ravels »Bolero« machen in steigendem Tempo gute Laune. Zwei Stapel verschwinden ganz schnell: in Hänge-mappen und im Computer. Der dritte darf wieder auf den Schreibtisch, wo er sich jetzt harmlos und unschuldig aus-nimmt. Unverzichtbar bei dieser Ordnungsaktion ist der Papierkorb in Wurfweite.

Nach zwei, drei Stunden ist alles vollbracht, und ich fühle mich jedes Mal wie ein »Held der Arbeit«, leicht im Kopf, bester Stimmung und in der Lage, aus dem Stand Bäume auszureißen. Und das alles nur, weil ich wieder Durchblick und keine dräuenden Katastrophenszenarien mehr im Hinterkopf habe, mit anderen Worten: Herrin der Lage und vor allem meiner Zeit bin.

Zeit ist ein merkwürdiges Phänomen. In unserer Kindheit können wir kaum erwarten, dass sie vergeht. Es kann uns gar nicht schnell genug gehen. Wir wollen dieses schreck-liche »Später« und »Dafür bist du noch zu jung« einfach nicht mehr hören. Und dann, wenn wir endlich unab-hängig und selbstständig sind, rennt sie uns dauernd davon oder besser: Wir rennen ihr ständig hinterher. Ent-weder wir warten auf etwas – dass es endlich wärmer wird, dass es zu regnen aufhört, dass eine bestimmte Nachricht kommt, dass der Liebeskummer aufhört oder eine neue Liebe anfängt. Jedenfalls ist andauernd etwas noch nicht eingetreten. Oder wir sind zu spät dran – haben Angst, einen Zug, ein Flugzeug oder eine Verabredung nicht mehr rechtzeitig zu erreichen, hecheln jedenfalls einem Ereignis, das noch gar nicht stattgefunden hat, quasi hinterher. Und die dritte Variante ist – wir verschieben etwas: auf morgen, übermorgen, nächstes Jahr.

Diese Zustände, egal ob wir warten, hetzen oder verschieben, haben alle zur Folge, dass wir nicht in der Gegenwart leben. Das ist einer der verbreitetsten Lebensfehler und der Unglücksbringer Nummer eins auf der Welt.

Es gibt eine wunderbare Kalendergeschichte von Johann Peter Hebel mit dem Titel »Unverhofftes Wiedersehen«, die auf eindringliche Weise davon erzählt, wie schnell die Welt vorwärts schreitet, wenn man selbst verharrt:

Ein junges Mädchen und ein junger Bergmann haben ihre Hochzeit geplant, da kommt der junge Mann kurz vor dem glücklichen Ereignis nicht mehr aus dem Bergwerk zurück. Die Braut hört nie auf, ihn zu lieben, bleibt allein und vergisst ihn nie. Die Zeit vergeht. Hebel schildert das so:

»Unterdessen wurde die Stadt Lissabon in Portugal durch ein Erdbeben zerstört, und der Siebenjährige Krieg ging vorüber, und Kaiser Franz der Erste starb, und der Jesuitenorden wurde aufgehoben und Polen geteilt, und die Kaiserin Maria Theresia starb, und der Struensee wurde hingerichtet, Amerika wurde frei, und die vereinigte französische und spanische Macht konnte Gibraltar nicht erobern. Die Türken schlossen den General Stein in der Veteraner Höhle in Ungarn ein, und der Kaiser Joseph starb auch. Der König Gustav von Schweden eroberte russisch Finnland, und die französische Revolution und der lange Krieg fing an, und der Kaiser Leopold der Zweite ging auch ins Grab. Napoleon eroberte Preußen, und die Engländer bombardierten Kopenhagen, und die Ackerleute säten und schnitten. Der Müller mahlte, und die Schmiede hämmerten, und die Bergleute gruben nach den Metalladern in ihrer unterirdischen Werkstatt.«

Und dabei fanden sie den verschütteten Bräutigam von damals. Sein Körper war ganz von Eisenvitriol durchdrungen, so dass der Leichnam jung und schön erhalten war, so wie an dem Tag, als er seiner Liebsten ein letztes »Guten Morgen« ans Fenster klopfte, aber kein »Guten Abend« mehr sagen konnte. Die Braut war inzwischen eine alte Frau geworden und angesichts des jung gebliebenen Toten unversehens mit ihrem nicht gelebten Leben konfrontiert.

Mich hat Hebels Schilderung von verflossener, zur Geschichte gewordener Zeit – parallel zum Alltag jedes Einzelnen, für die Geschichtsbücher nicht relevanten Lebens – nach jeder Lektüre erneut zu Tränen gerührt. Das ist eine konkrete und vor allem auch literarisch sehr schöne Beschreibung dessen, was man im Allgemeinen mit »Das Leben geht weiter« umschreibt. (Während wir vor dem Spiegel stehen und womöglich über ein paar erste graue Haare und Fältchen sinnieren, passieren überall auf der Welt all diese Dinge, sie sind konkrete Gegenwart für unzählige Menschen und haben Folgen. Und während wir im Warmen vor den Fernsehnachrichten sitzen, ist all das Schreckliche, von dem wir hören und das wir sehen, wirklichen Menschen vor einigen Stunden wirklich passiert.

Ich rechne dann oft zurück und überlege mir, womit ich gerade beschäftigt war, zum Beispiel während die junge schwarze Frau mit ihrem Baby nicht aus New Orleans vor dem Wasser fliehen konnte, das der Hurrikan brachte, weil sie kein Auto hatte und die Busse überfüllt waren oder gar nicht erst zur Verfügung standen. Manchmal stelle ich dann fest, dass wir währenddessen entspannt und wohlig beim Abendessen gesessen, uns über ein neues Risottorezept unterhalten und einen chilenischen oder südafrikanischen Wein probiert haben. Oder dass ich an meinem Computer gesessen und herzlich über das jüngste, komische Manuskript eines meiner Autoren gelacht oder vielleicht auch mit meiner Kosmetikerin besprochen habe, dass sie mir doch die Nägel mal mit fünf verschiedenen Farben lackieren soll. Manchmal ist es gut, über solche Gleichzeitigkeiten nachzudenken. Und darüber, wie gut es das Schicksal mit einem meint, während anderen Menschen Schreckliches passiert.)

Vielleicht ist das die richtige Stelle, um auch einmal über den Stellenwert von Glück und Unglück im Leben zu reden. Natürlich will keiner von uns unglücklich sein und verrückt wäre derjenige, der scharf darauf ist, Schicksalsschläge zu erleben, um daran zu wachsen. »Lieber reich und schön, als arm und krank«, ist das die guten Geister beschwörende Motto der meisten von uns. Wobei die Formulierung dieser Floskel schon bezeichnend ist: In ihrem positiven Teil kommt das Wort »gesund« gar nicht vor. Wohl deshalb, weil reich und schön sein Gesundheit automatisch einzuschließen scheint (Irrtum eins). Und arm und krank, ganz ohne nachzudenken, mit Hässlichkeit in Verbindung gebracht wird (Irrtum zwei). Das ist – wir wissen es natürlich alle nur zu gut – gedanklich zu kurz gesprungen. Ähnlich wie bei dem Psychoklischee, dem zufolge blonde Menschen gut sind und bei schwarzhaarigen höchste Vorsicht geboten ist.

Ich bin davon überzeugt, dass es Menschen, denen im Leben ausschließlich Gutes widerfährt, schwerer haben, eine unverwechselbare Persönlichkeit zu entwickeln und zu einem erkennbaren »Charakter« zu werden. Zu dick oder zu mager, zu kurz oder zu lang zu sein, abstehende Ohren, eine krumme Nase, zu dünne Haare zu haben – um nur von harmlosen »Schönheitsfehlern« zu reden – das lehrt einen Menschen früh, mit Unzufriedenheit fertig zu werden, sich zu wehren, gegen Vorurteile anzukämpfen und Widerstände (eigene und fremde) zu überwinden. Lebenstechniken, ohne die niemand auskommt – auch derjenige nicht, dessen Abweichungen von der gesellschaftlich ausgerufenen Norm äußerlich nicht sofort sichtbar sind und sich vielleicht erst bei näherem Hinsehen im Wesen zeigen.

Trauer über den Verlust von geliebten Menschen, der Abschied von Freunden, Krankheiten oder Verzweiflung über bestimmte, ausweglos erscheinende Lebenssituationen sind nicht nur negativ zu sehen. Als junger Mensch mag man das nicht hören und schon gar nicht glauben. Dennoch ist es wahr: Unglückssituationen zwingen zum Innehalten und Nachdenken. Sie verändern oberflächliche und verkehrte Ansichten. Machen tolerant und mitfühlend, Eigenschaften, ohne die ein soziales Miteinander nicht möglich sind. Getrocknete Tränen sind es, die jedem Menschen ein befreites Lachen oder zumindest Lächeln erst möglich machen. Diese Erkenntnis ist nicht das Ergebnis unbegründeter »Altersmilde«, sondern von Erfahrung.

In diesem Zusammenhang tun mir verwöhnte Kinder, denen so gar keine Grenzen aufgezeigt werden, oft sehr Leid. (Ist Ihnen das nicht auch schon oft aufgefallen, zum Beispiel im Restaurant? Kinder toben durch die Tischreihen, springen über Bänke hinweg, machen unendlichen Lärm und belästigen damit alle anwesenden Gäste, der Wirt sagt nichts, weil er die Eltern nicht verärgern will – sie sollen ja wiederkommen; die anderen Gäste sagen nichts, weil sie sich nicht Kinderfeindlichkeit unterstellen lassen und keinen Streit mit den Eltern haben wollen; und die Eltern sagen nichts, weil sie das Tohuwabohu und den Lärm gewöhnt sind. Wer wird diesen Kindern Grenzen beibringen? Die Lehrer? Und später ihre Vorgesetzten? Wer auch immer: Es wird dann jedenfalls sehr wehtun.) Je eher einen das Schicksal lehrt, mit Ablehnung, Vorurteilen, aber auch mit Ab- und Ausgrenzung umzugehen, desto leichter, fröhlicher und freundlicher wird das Leben. Was einen nicht umwirft, macht einen stark.

Es scheint in der Natur von uns Menschenwesen zu liegen, immer das haben zu wollen, was außer Reichweite liegt. Das ist nicht in jedem Fall klug, wie die folgende Lieblingsgeschichte von mir zeigt:

Es war einmal ein kleiner Mann, der hatte eine goldene Schraube im Bauchnabel. Darüber war er sehr unglücklich. Er wollte diese goldene Schraube unbedingt loswerden und so sein wie alle anderen Menschen. Überall und unermüdlich suchte er Rat und Hilfe. Bei Ärzten auf der ganzen Welt, bei Goldschmieden und bei Ingenieuren, bei Heilpraktikern und Gesundbetern, bei Voodoopriesterinnen, bei Schamanen und bei Zauberern – keiner konnte ihm helfen. Die goldene Schraube in seinem Bauchnabel schien sein Schicksal und sein Unglück zu sein. Der kleine Mann wurde immer verzweifelter, und sein

Gemüt verfinsterte sich zusehends. Da las er eines Tages in der Zeitung, dass es in Japan einen Kindkaiser gebe, der einfach alles könne und auch in der Lage sei, Probleme zu lösen, von denen man bis dato noch nie gehört hatte.

Der kleine Mann machte sich sofort auf den Weg und fragte sich wochen-, ja monatelang zu dem Kindkaiser durch, bis er ihn endlich gefunden hatte. Er warf sich vor dessen kleinem Thron auf die Knie und flehte darum, er möge ihn doch von seiner goldenen Schraube im Bauchnabel befreien. Als der Kindkaiser nach einer Weile verstanden hatte, was der kleine Mann von ihm wollte (der war so sehr mit seinem Bauchnabelkummer beschäftigt, dass er auf seiner langen Suche in Japan weder die Schönheiten des Landes bemerkt noch die Sprache seiner Bewohner gelernt hatte), bedeutete er ihm, sich auf ein rotes Samtkissen zu knien, das Hemd hochzuschieben, den Bauch frei zu machen und sich ganz ruhig zu verhalten. Dann holte der Kindkaiser einen kleinen, goldenen Werkzeugkasten hinter seinem Thronsessel hervor, klappte ihn sehr bedächtig auf, suchte eine Weile und fand schließlich einen winzigen, goldenen Schraubenschlüssel. Der Kindkaiser lächelte den kleinen Mann freundlich an und begann mit dem kostbaren Werkzeug vorsichtig an dessen Bauchnabel zu schrauben. Und das Wunder geschah: Nach einer Weile fiel die Schraube tatsächlich auf das rote Samtkissen, auf dem der kleine

Mann mit angehaltenem Atem kniete. Der Kindkaiser hob sie auf und legte sie dem kleinen Mann
in die Hand. Der war zunächst stumm und starr vor
Erstaunen, Ungläubigkeit und Glück. Dann sprang
er auf, riss die Arme hoch und jubelte vor lauter
Freude. Und in diesem Moment fiel ihm der Hintern
herunter.

So kann es ausgehen, wenn Wünsche sich erfüllen. Schon
die heilige Therese hat gesagt, dass über nichts auf der
Welt so viele Tränen vergossen werden wie über erhörte
Gebete. (Bei dem kleinen Mann hege ich übrigens den
Verdacht, dass die Schraube im Bauchnabel nur ein Vor-
wand fürs Unglücklichsein war. Hätte er keine Schraube
im Bauchnabel gehabt, wäre er wahrscheinlich darüber
unglücklich gewesen, dass er so klein ist, und vielleicht
einen Arzt gesucht, der ihm Knochen in die Ober- und
Unterschenkel einsetzt, damit er an Größe gewinnt. Das
gibt es. Aber – ob Glück so zu erlangen ist?)

Nicht nur die Besessenheit von Wünschen blockiert unser
Lebensglück, sondern auch Fehleinschätzungen von Emotionen. Fast alle haben wir Angst vor der Angst. Dabei
ist sie durchaus wichtig, wenn auch nicht mehr – wie vor

vielen Tausend Jahren –, um uns vor wilden Tieren zu schützen. Genauso wie der Schmerz ein Warnsignal ist, das beachtet werden muss, um Schlimmeres zu verhindern, hat die Angst eine wichtige Funktion: Sie fordert uns Aufmerksamkeit und Konzentration bei der Einschätzung unbekannter Situationen ab. Ich meine nicht diejenigen, die auf der Hand liegen – niemand mit klarem Verstand würde bei dichtem Nebel zu schnell Auto fahren, bei Glatteis rennen oder einen Weihnachtsbaum mit brennenden Kerzen unbeaufsichtigt lassen. Ich meine diejenigen Ängste, die mit unserem Selbstbewusstsein und anderen psychischen Verfassungen zu tun haben, mit der Sorge, nicht geliebt und falsch beurteilt zu werden oder sich zu blamieren.

In diesem Zusammenhang kann ich mich noch gut an meinen ersten Fernsehauftritt erinnern, der zugleich eine meiner wichtigsten Lektionen in Sachen Angstüberwindung war. Dass ich damals nicht an meinen eigenen Adrenalinstößen vor laufenden Kameras (live!) erstickt bin, wundert mich heute noch. Es ging um mein Buch »Wir sind rund, na und?« (das ich zusammen mit einer Co-Autorin geschrieben hatte) und eine Diskussionsrunde zu dieser Thematik bei einer der ersten deutschsprachigen Talkshows, dem inzwischen legendär gewordenen »Club 2« des ORF. Es war wenige Minuten vor Beginn der Sendung – mir war abwechselnd heiß und kalt vor Aufregung –, wir saßen schon alle in den pseudobequemen Clubsesseln parat und beobachteten auf einem Monitor die letzten Bilder der Nachrichtensendung »Zeit im Bild«, da beugte sich die Moderatorin plötzlich zu mir herüber und sagte: »Sie sind doch hauptberuflich PR-Managerin. Die meisten Zuschauer werden nicht wissen, was das ist. Bei der Vorstellung werde ich Sie danach fragen und Sie beantworten es bitte kurz, ja?«

Mir blieb vor Schreck fast das Herz stehen, weil mir in der Sekunde aber auch nicht die Spur einer Erklärung diese Begriffs und damit meines eigenen Berufs einfiel. Ich weiß noch, dass ich mich um ein Lächeln bemühte und wie ein Profi nickte, während ich mir einbildete, den Angstschweiß den Rücken hinunterlaufen zu spüren, und innerlich gleichzeitig zum Eisblock erstarrte. Ich bekam nur nebelhaft mit, dass die Sendung inzwischen begonnen hatte, die Moderatorin die Zuschauer begrüßte, das Thema vorstellte – und dann gleich als ersten Gast mich. Natürlich kam auch die angedrohte Frage und ich beantwortete sie – kurz, wohl auch richtig und zufriedenstellend, wie mir später berichtet wurde. Aber ich weiß bis heute nicht, was ich gesagt habe.

Da die Vorstellung der anderen Diskussionsteilnehmer mir Zeit verschaffte, wieder »aufzutauen«, pendelte sich mein Puls bei jener Frequenz ein, die man immer aufweist, wenn man auf dem Präsentierteller sitzt und jede Möglichkeit hat, sich zu blamieren.

Der weitaus größere Schreck stand mir jedoch noch bevor. Es ging im Lauf der Diskussion darum, warum dicke Menschen von schlanken so oft abgelehnt würden. Einer der Gäste war Professor Bazon Brock (Inhaber eines Lehrstuhls für Ästhetik und Kulturvermittlung), der

die Meinung vertrat, dass alles, was übergroß und über-
mächtig daherkomme, den Menschen Angst einjage, was
Abneigung und Ablehnung zur Folge habe.

Irgendetwas an meiner erstaunten Reaktion – das
Argument war mir neu, ich hatte zuvor noch nie darüber nachgedacht, vielleicht konnte ich aber auch den
Schnabel mal wieder nicht halten und habe widerspro-
chen – brachte den Mann dazu, etwas zu tun, was in einer
Talkshow eigentlich absolut tabu ist: Er forderte mich
auf, aufzustehen und mich neben ihn zu stellen, um seine Behauptung zu demonstrieren. Das ist so ungefähr
das Schlimmste, was man einem sensiblen Dicken antun
kann – sich frei, offen und ungeschützt mitten im Scheinwerferlicht zu präsentieren.

Da kein Loch im Studioboden vorhanden war, in das
ich hätte versinken und verschwinden können, stand ich
also brav auf. Bestimmt mit feuerrot angelaufener Birne
und erneut mit abartig angestiegenem Puls. Aber wie
man sieht – ich hab's überstanden. Heute, zwanzig Jahre
gewitzter und zwanzig Fernsehsendungen später, würde
ich ihm einfach sagen, dass ich ihm auch so glaube – und
sitzen bleiben.

Mit Selbstbewusstseinsproblemen dieser Art umzugehen, haben wir alle im Lauf der Jahre – mehr oder weniger gut – gelernt. Meine »Achillesferse« in Bezug auf
das Älterwerden sind eher Alltagsdinge. Die Musik, die
Jüngere heute hören, ist so eins. Ich kann meistens nicht
viel damit anfangen, wir haben das Autoradio daher auf
Bayern 2 (Wortbeiträge) oder Bayern 5 (Nachrichten) ein-

gestellt. Aber ich frage mich manchmal, ob das vielleicht das wahre Zeichen fürs Älterwerden ist? Vor einigen Jahren bin ich erschrocken, als ich hörte, dass eine mir unbekannte Ouvertüre, die ich gerade zum ersten Mal gehört und gut gefunden hatte, zu einer Wagneroper gehörte. Um Himmels willen! Ich habe – als Salzburgerin voll auf Mozart, Verdi und Puccini »eingeschworen« – doch Wagner immer als »Pomp« abgelehnt. Und wurde sehr nachdenklich. Waren meine Ohren jetzt »alt« geworden? (Nein – nur vorurteilsfrei!) Und wie gesagt, mit den aktuellen Hits kann ich nur ganz selten warm werden. Dabei erinnere ich mich natürlich an die wegwerfenden und abwertenden Kommentare meiner Eltern in Bezug auf »unsere« Musik. Die Stones, die Beatles, die Kinks, die Who, Janis Joplin, Jimi Hendrix, sogar Elvis oder Simon & Garfunkel waren ihnen ein Dorn im Ohr.

Verhalte ich mich also heute genauso ignorant? Ein guter Freund, dem ich von meinen Bedenken, vielleicht nicht mehr auf der Höhe der Zeit zu sein, erzählte, lachte mich aus. Er riet mir, ruhig etwas arroganter zu sein, und meinte, unsere Ohren seien eben auf bessere Qualität eingestellt – was da derzeit so anflute, laufe gehörtechnisch unter unseren Qualitätslatten glatt durch. Wir seien eben andere Kaliber gewöhnt. Das hat mir gefallen.

Und es ist ja auch was dran. Unsere alten Eltern tun heute doch – zumindest bei Elvis (komplett) und den Beatles (zum großen Teil) – so, als sei es auch »ihre« Musik gewesen. Die Werbung verwendet »unsere« Musik aus gutem Grund, um TV-Spots zu unterlegen, die Autos verkaufen sollen, und die Hits aus den fünfziger, sechziger, siebziger und achtziger Jahren sind Anlass, um haufenweise Nostalgiesendungen zur Fernseh-Prime-Time zu produzieren – obwohl die Einschaltquoten doch angeblich immer auf die Jüngeren abzielen. »In the Summertime« oder »When a Man loves a Woman« kennt man auch heute noch in allen Altersgruppen. Also – nix mit »altem Eisen«.

Dass es sich mit Johnny Cash, Dean Martin, Frank Sinatra, Billie Holiday, Leonard Cohen, Aretha Franklin oder Bob Dylan besser denkt, schreibt und entspannt, steht ja sowieso außer Zweifel: »That's Amore«, oder?

Auch wer mit der gegenwärtigen Befindlichkeitsliteratur nicht viel anfangen kann, ist nicht hoffnungslos altmodisch, sondern befindet sich in guter Gesellschaft. Die SZ- und BRIGITTE-Bibliotheken oder die Comic-Edition der FAZ sprechen nicht nur Bände, sondern verkaufen sich auch aus gutem Grund wie geschnitten Brot. Und beileibe nicht nur an uns »halbe Hunderter«, denn wir haben und kennen die meisten dieser Bücher. Die Kunst, wie in der Mode das Schönste aus Neuem mit noch unbekanntem Altem zu mixen, ist die des fröhlichen Entdeckens. Dafür haben wir nicht nur ein Händchen, sondern auch die richtigen Freunde, die freiwillig als Trüffelhunde agieren.

Was uns früher zu langweilig war, weil es Geduld abverlangt hätte (die wir nicht hatten), schafft jetzt – beim Wieder- oder Neulesen ungeahnte Freuden. Warum sich nicht noch einmal an »Ulysses« versuchen? (Ich weiß, ich weiß und höre die Einwände: »Ist das nicht ein wenig

übertrieben?« Ist es nicht. Denn zumindest den Gedan-
kenmonolog von Molly Bloom sollte man unbedingt lesend erleben. Mit fünfzig kann man die Chance haben,
diesen wirklich schwierigen Pegasus vielleicht doch noch
zu »reiten«. Den Versuch ist es allemal wert. Ich rate zu
einer toskanischen Terrasse und samtigem Rotwein und
Sie werden erleben, wie die Zeit stehen bleibt.) Oder
Feuchtwangers »Goya«? (Wir haben uns doch fast alle
mit seinem »Erfolg« begnügt. Apropos »Erfolg«: Haben
Sie schon mal Minister Klenks Art, Weißwürste zu essen,
probiert? Er trinkt in Feuchtwangers Roman Sherry dazu.
Unbedingt ausprobieren!) Wo sonst sollte man erfahren,
dass Maler zu Goyas Zeit für das Abbilden von Händen
im Rahmen eines Gemäldes extra bezahlt wurden, weil
es als extrem schwierig galt (was es ja wohl auch ist, wie
Maler bestätigen können)? Adalbert Stifter, vor dem wir
immer gelangweilt davongelaufen sind, gilt es neu zu
entdecken, und auch der erinnerungssüchtige Proust war
in jugendlich-hektischen Zeiten nicht jedermanns Sache.
Schätze über Schätze: Was da alles parat liegt für uns –
hundertmal mehr als die Stunden von tausendundeiner
glücklichen Nacht.

Genau genommen haben die meisten von uns viele Jahre
nicht wirklich »gelebt«, man muss es schon so drastisch

ausdrücken. Da waren bei vielen die Kinder und die kleinen und großen Sorgen um sie; Beziehungskräche oder Beziehungslangeweile, finanzielle Sorgen, berufliche Probleme und das alles meistens zu allem Überfluss auch noch kombiniert. Derart paralysiert von Unabwendbarkeiten des Alltags, wäre es fast ein Wunder gewesen, »bei sich« zu bleiben oder überhaupt »zu sich« zu kommen. Zumindest nicht einfach, ja für manche (vor allem für Frauen mit ihren Doppel- oder Dreifachbelastungen) sogar unmöglich.

Aber ab fünfzig wird alles anders. Nicht schlagartig, das wäre auch nicht gut. Aber auf wohltuende Weise pendelt sich ein emotionales und auch ein reales neues Tempo ein, das man – ohne es zu bemerken – selbst bestimmt. Wie gesagt, ich habe es zunächst eigentlich gar nicht bemerkt. Erst die Geschichte mit dem Schuhschrank war der Auslöser, die leisen Veränderungen zu registrieren. Und damit einher ging eine etwas kritischere Beobachtung des eigenen Wohlfühlfaktors. Wenn dann das dabei herauskommt, was ich für mich festgestellt habe, ändert sich alles von Grund auf – und es könnte sein, dass auch Sie ein ganz neues Leben anfangen.

An dem Tag, an dem ich bemerkte, dass ich in meiner Firma überhaupt nicht mehr dazu kam, das zu tun, was meine eigentlichen Aufgaben waren, sondern nur noch hinter Sachen herrannte, die mich eigentlich nicht betrafen, von deren Regelung aber abhängig war, dass ich meinen eigentlichen Aufgaben mit Aussicht auf Erfolg nachkommen konnte, an dem Tag wusste ich, dass gravierende Entscheidungen fällig waren. Mein angeborenes Widdertemperament setzt mir selbst – aber natürlich auch anderen – in solchen Situationen ziemlich zu. Leider trägt das lediglich zu neuem Ärger, aber keinesfalls zu irgendeiner Änderung bei. Um nicht vollends auszuflippen, fand ich mich in diesem Fall plötzlich in folgender Situation wieder:

Am Zerplatzen vor Wut und (wirklich berechtigtem) Ärger, schnappte ich mir Mantel und Handtasche und verließ fluchtartig mein Büro, um nicht mit Tassen oder Vasen um mich zu schmeißen, vor Zorn hemmungslos zu heulen oder jemand Unschuldigen zu ermorden. Es war Dezember, der Schnee lag mittelhoch, und ich trug niegelnagelneue, sündteure Veloursledersstiefel und einen Strickmantel, den mir gerade erst eine Freundin aus Florenz geschickt hatte. So trabte ich zornbebend zum Taxistand.

Ich wohne ziemlich weit außerhalb von München, präziser gesagt sechzehn Kilometer, und öffentliche Verkehrsmittel erfordern kompliziertes Umsteigen. Dafür hatte ich in meinem »Brass« nicht den geringsten Nerv, und ich wollte nichts anderes als auf dem schnellstem Weg heim, nichts als weg von der Magengeschwürzuchtanstalt. Kurz vor dem Taxistand stellte ich fest, dass ich viel zu wenig

Geld eingesteckt hatte. Frau sah erneut rot und richtete ihre Aggression prompt gegen sich selbst. Ich beschloss, zu Fuß zu gehen. Es war Punkt ein Uhr mittags, und garantiert war noch nie ein Mensch in modernen Zeiten zu Fuß von München nach T. gelaufen – also würde ich eben einen Rekord aufstellen (ausgerechnet ich, der faulste »Sport ist Mord«-Typ auf Erden).

Es fing an zu regnen, der Schnee auf den Gehwegen und später an den Landstraßenrändern verwandelte sich in Matsch. Das Veloursleder meiner Stiefel sog sich bis auf halbe Schafthöhe mit Salzwasser voll, die Angorawolle meines schicken, knöchellangen Mantels verwandelte sich in nassen Filz, mir liefen die Tränen die Wangen herunter und mischten sich mit der Nässe, die unaufhörlich vom Himmel kam. Auf diesem Weg ging mir viel durch den Kopf. Ich verfluchte Gott, die Welt und meine Firma, aber am allermeisten mich. Und je langsamer, nasser und durchfrorener ich wurde, desto stiller wurde ich auch. Meine Wut war verraucht und mir war klar, dass ich etwas an meinem Leben ändern musste.

Um fünf Uhr kam ich zu Hause an und wurde von meiner Freundin – die nebenan wohnt und mich daherwanken sah – quasi über die Schwelle meiner Haustür gezogen (den Wollmantel musste ich links und rechts hochraffen, so lang war er inzwischen von der Nässe gezogen worden) und von meinem Mann in ein heißes Bad gesetzt und mit viel Rum und wenig Tee versorgt. Und ich war der untrainierte Held, der sechzehn Kilometer in Schneematsch und Regen in vier Stunden überwunden hatte. Iron Woman. Erschöpft, stolz und geläutert im Kopf. Und soll ich Ihnen etwas sagen? So fröhlich – ich hätte am liebsten Arien geschmettert.

Stiefel und Mantel konnte ich allerdings wegschmeißen – beide waren nicht mehr zu retten. Aber ich – ich war gerettet.

An diesem Tag wurde – in meiner Badewanne mit Rum und ein bisschen Tee (aber bei klarem Bewusstsein) die literarische Agentur WRITERS CLUB geboren. Zwei Monate später feierte ich meinen sechsundfünfzigsten Geburtstag, habe drei Tage später um 18.11 Uhr gekündigt und war neun Monate später eine freie Frau.

Zum Abschied

Es gibt zwei Gedichte, die ich besonders liebe. Sie haben mich in schwierigen Zeiten begleitet und mir immer geholfen, wieder ins Gleichgewicht zu kommen und auch Traurigsein als zum Leben gehörig zu akzeptieren. In beiden geht es um »Zeit«, und sie wirken auf mich wie Lebenselixiere.

Vielen Dank, dass Sie mir »zugehört« haben – und viel Glück!

Ich lebe mein Leben in wachsenden Ringen,
die sich über die Dinge ziehn.
Ich werde den letzten vielleicht nicht vollbringen,
aber versuchen will ich ihn.

Ich kreise um Gott, den uralten Turm,
und ich kreise jahrtausendelang;
und ich weiß noch nicht: bin ich ein Falke, ein Sturm
oder ein großer Gesang.

Rainer Maria Rilke

Die Ahnung

Die Ahnung
ist Sonde der Seele
in das Mysterium.
Nase des Herzens,
die das Dunkel der Zeit
durchforscht.

Gestern – ist das Verwelkte,
das Gefühl
und die Grabstatt
der Erinnrung.

Vorgestern
ist das Gestorbne.
Lager todkranker Ideen
zaumloser Flügelrosse.
Gestrüpp von Erinnrungen,
Wüsten,
im Nebel der Träume
verloren.

Nichts stört die vergangnen
Zentennien.
Dem Alten
entreißen wir nicht
einen Seufzer.

Das Vergangne legt an
seinen eisernen Harnisch
und mit Windwatte stopft's sich
die Ohren.
Nie entringen wir ihm
ein Geheimnis.

Seine Jahrhundertemuskeln,
sein Gehirn
fötal schon verwelkter
Bilder
können den Saft nicht spenden,
den das durstige Herz dringend braucht.

Aber das künftige Kind
wird ein Geheimnis uns künden,
wenn es im Sternbettchen
spielt.
Es ist leicht zu betrügen;
und deswegen
lasst uns ihm zärtlich
unseren Busen geben.
Denn der stille Maulwurf
der Ahnung
bringt uns, während es schläft,
all seine Trommelschellen.

Federico García Lorca

Margit Schönberger

Don't worry, be fifty –
der Ratgeber

Genießen Sie neue Freiheiten
und gönnen Sie sich nur das Beste

Frauen über fünfzig müssen nichts mehr werden, denn sie sind schon was – und können endlich einmal an sich selbst denken. Einzige Voraussetzung: Sie müssen sich trauen. Margit Schönberger hat sich getraut und die Erfahrung gemacht, dass das Leben auch in diesem Alter noch jede Menge Überraschungen bietet.

Offen, ungeschminkt und mit dem Augenzwinkern einer Frau, die sich nichts mehr beweisen muss, geht sie auf Entdeckungsreise in ein unerforschtes Land. Und zeigt, dass es jenseits der fünfzig nichts zu verlieren gibt, aber viel zu gewinnen. Gelassenheit zum Beispiel. Die Kraft, zu sich selbst zu stehen. Oder die Freiheit, das zu tun, wovon Jüngere kaum zu träumen wagen.

KNAUR RATGEBER

Margit Schönberger

Wozu Männer?

Liebeserklärung an eine überflüssige Spezies

Mal ehrlich, wozu brauchen wir Frauen eigentlich noch die Männer? Rasen mähen und Wände tapezieren können wir längst selbst. Wir werden Nobelpreisträgerin, Kanzlerin und Firmenchefin, Haushalt und Kinder schmeißen wir so nebenbei. Nach dem neuesten Stand der Forschung bräuchte man die Männer nicht mal mehr zur Fortpflanzung …

Und doch: Wie arm wäre unsere Welt ohne sie? Geht uns nicht allen das Herz auf, wenn der Macker an unserer Seite im Kino heimlich Tränen der Rührung verdrückt? Wenn das Weichei, das wir lieben, im entscheidenden Moment wahren Heldenmut beweist oder das Kind im Mann beim Baumhausbau vor Glück fast platzt?

Augenzwinkernd geht Margit Schönberger in ihrem Buch den verschiedenen Männertypen auf den Grund und kommt zu dem Schluss: Theoretisch sind sie völlig unbrauchbar – aber wer würde wirklich auf sie verzichten wollen?

KNAUR TASCHENBUCH VERLAG